D1683531

Les mers rêvent encore

Catalogue de l'exposition *Les mers rêvent encore*,
Campredon Centre d'Art - Maison René Char,
Isle-sur-la-Sorgue, du 11 juillet au 31 décembre 2020.
Le catalogue et une partie des œuvres ont été réalisés
en confinement, au printemps 2020.

© Stéphane Guiran, Les Heures Brèves.

Page suivante :
Alpilles, Eygalières, 1er janvier 2020, série *Respirer l'horizon*.

Habiter différemment le monde page 11
Chantal-Colleu-Dumond

Le cueilleur de souffle page 15
Françoise Jaunin

Les oeuvres
Textes de Françoise Jaunin

   Le livre page 21
   L'homme voilier page 33
   Les lumières de l'ombre page 45
   Les voix liées page 61
   Les enfants des nuages page 69
   Les poussières d'ivoire page 87
   Tessiture de l'azur page 111
   Le chant des possibles page 123
   Soie page 141

Stéphane Guiran

Les mers rêvent encore

les**heures**brèves

Pourquoi rêvons-nous ?
Pour nous réparer. Pour nous préparer.
Pour oser tisser avec les doigts de notre conscience.
Pour attraper les pinceaux accrochés au bout des cieux
et repeindre les murs gris du quotidien.

Les mers rêvent encore, page 27

Enregistrement des Voix liées, pièce sonore, rencontre de 3 improvisations a cappella.

Ceci n'est pas une exposition.

C'est le récit d'une errance. D'une traversée. D'un voyage en pleine nuit sur le fil de l'horizon.

De notre horizon intérieur.

Pour ouvrir une fenêtre. Celle qui éclaire nos ombres. Celle qui révèle nos paysages inconscients.

Celle qui transforme nos rêves en chemin de lumière.

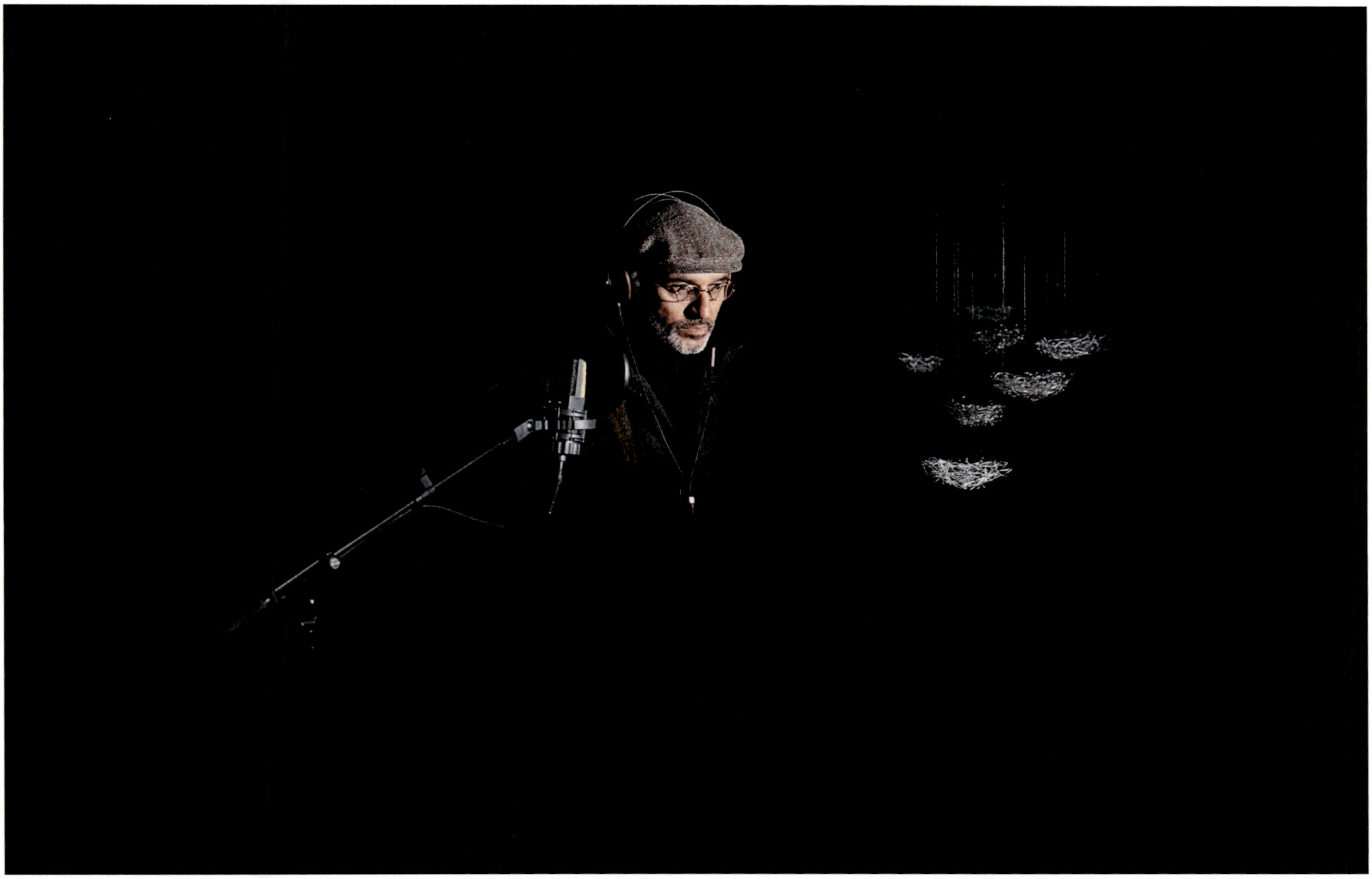

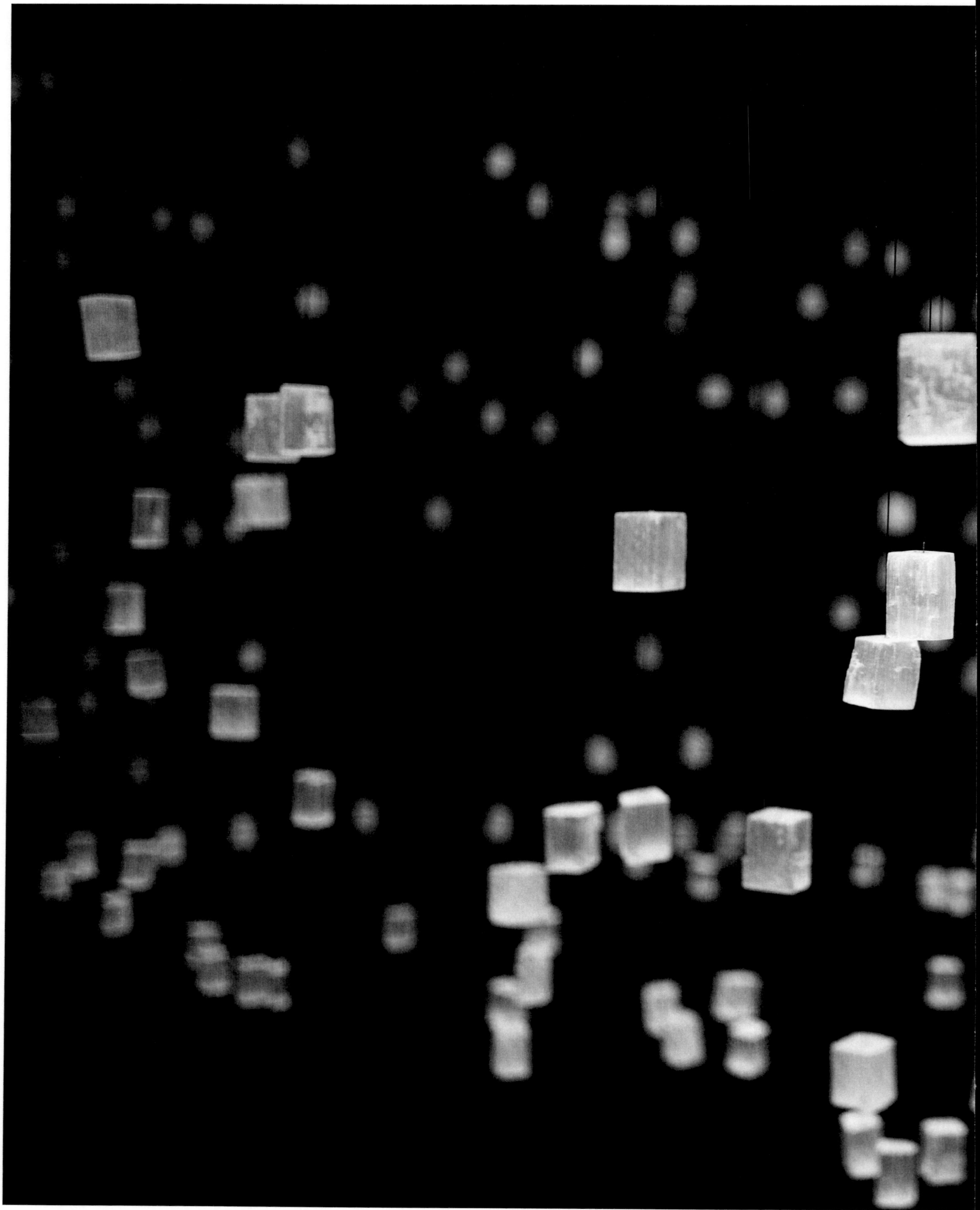

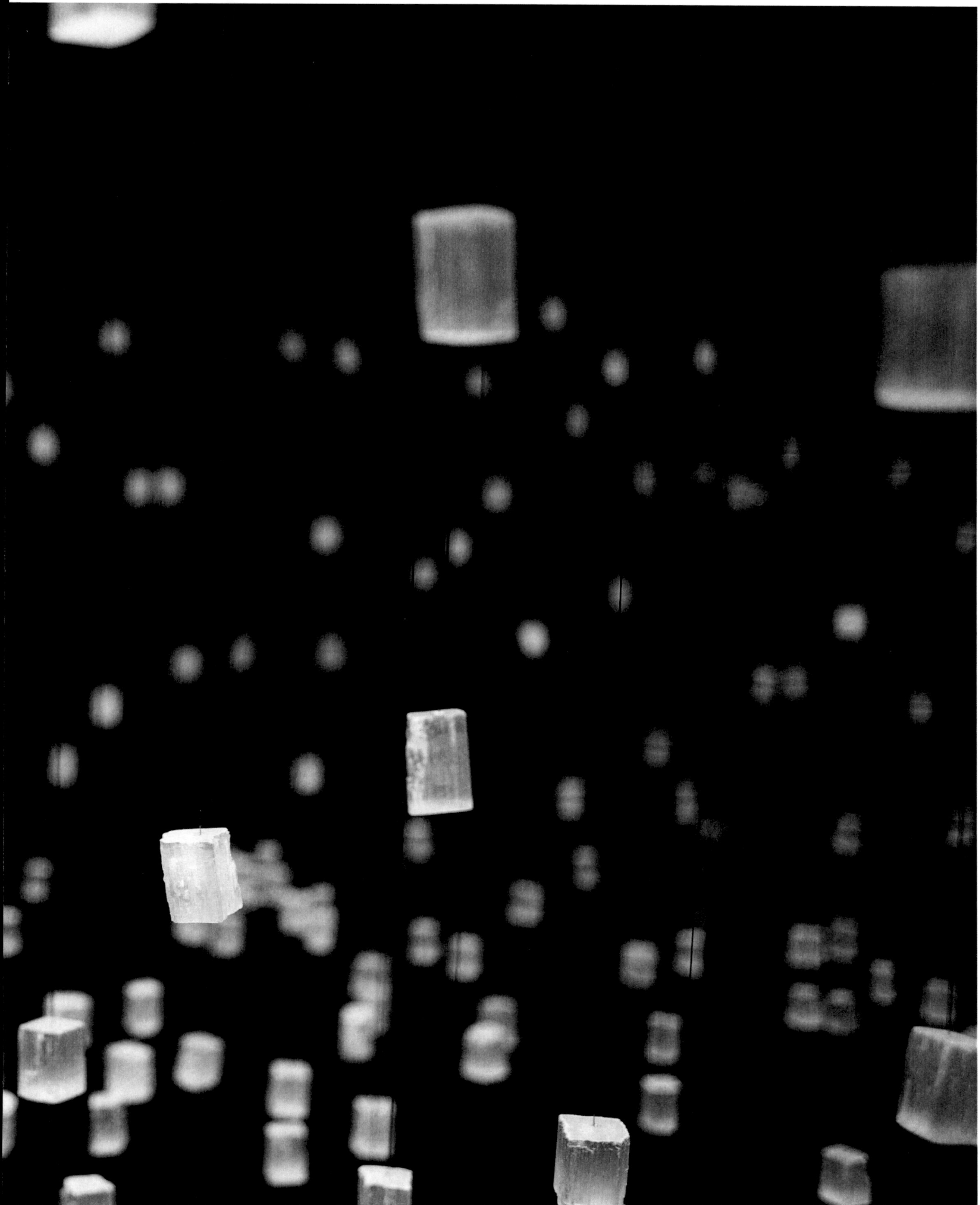

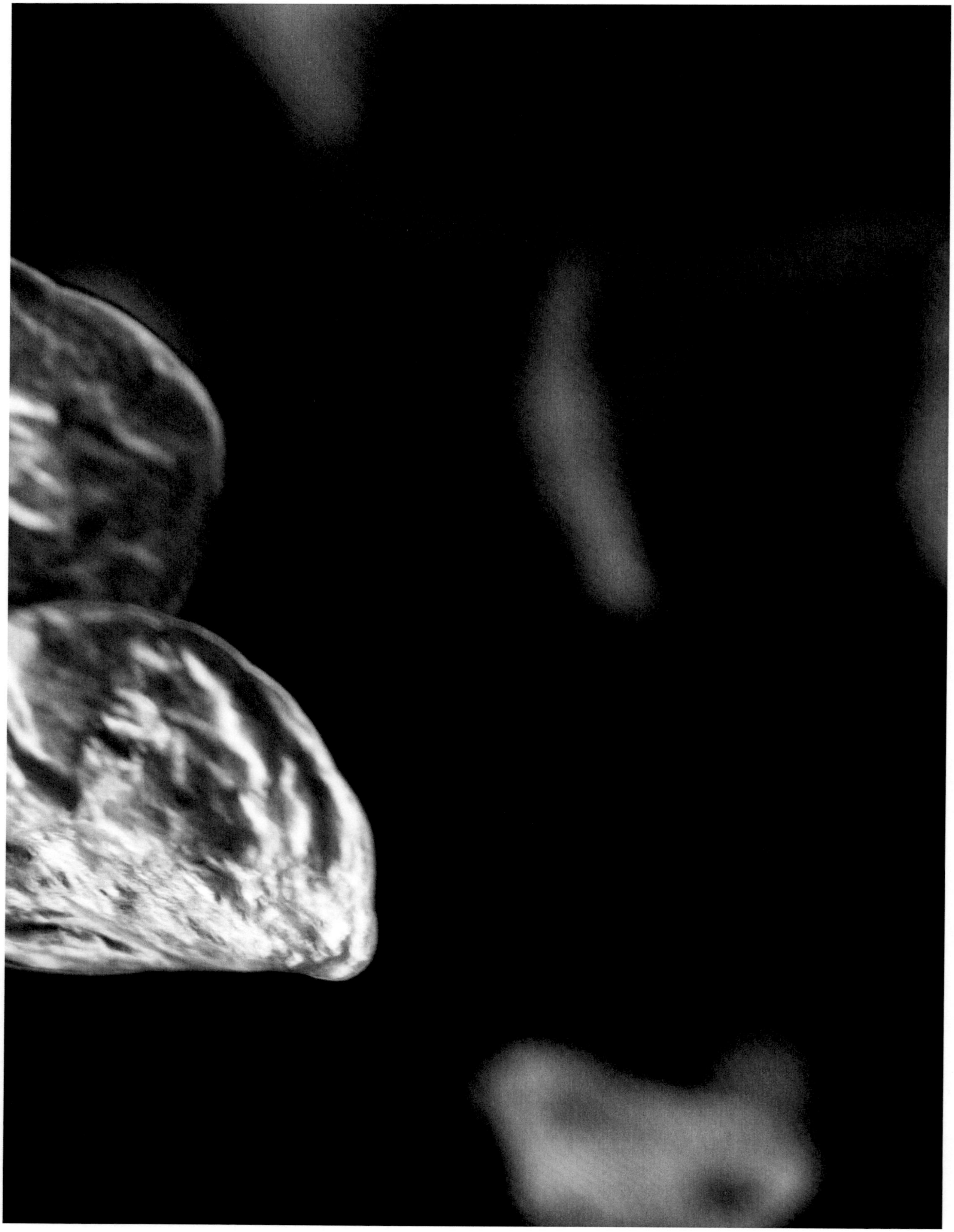

*Page précédente : sélénites.
Sculpture L'homme voilier.*

*Ci-contre : lunaires. Sculpture
Les lumières de l'ombre.*

Habiter différemment le monde

Artiste aux multiples talents, profond et inspiré, Stéphane Guiran est un poète, qui sculpte ses rêves et magnifie les nôtres, avec une incroyable grâce, comme s'il avait le don, le pouvoir d'intercepter et de transmettre le merveilleux en suspens dans nos vies.

Sensible à la fragilité et au mystère des choses, il possède la douceur et la délicatesse des sages. Tel un sourcier subtil, il ressent, sans chercher, ondes et vibrations émises par la nature ou par l'architecture et perçoit les fils invisibles qui animent les lieux.

A Chaumont-sur-Loire, les résonances et les voix du manège des Ecuries, qui avait été naguère l'atelier d'un artiste, lui sont apparues comme une évidence. C'est ainsi qu'il a conçu *le nid des murmures*, où le rayonnement intrinsèque des pierres circulaires se mêle au magnétisme du quartz et au chant des enfants, creuset de beauté et d'émotion qui agit profondément sur les âmes.

Quelles que soient ses créations, Stéphane Guiran, qui sait habiter différemment le monde, a l'art de faire surgir des instants suspendus, de susciter l'enchantement et d'établir le lien avec les lois secrètes et l'insaisissable harmonie qui règlent l'univers.

Chantal Colleu-Dumond
*Directrice du Domaine de
Chaumont-sur-Loire*

*Le nid des murmures,
Domaine de Chaumont-sur-Loire,
œuvre pérenne, 2017*

*Photo page ci-contre :
© Stéphane Mahot*

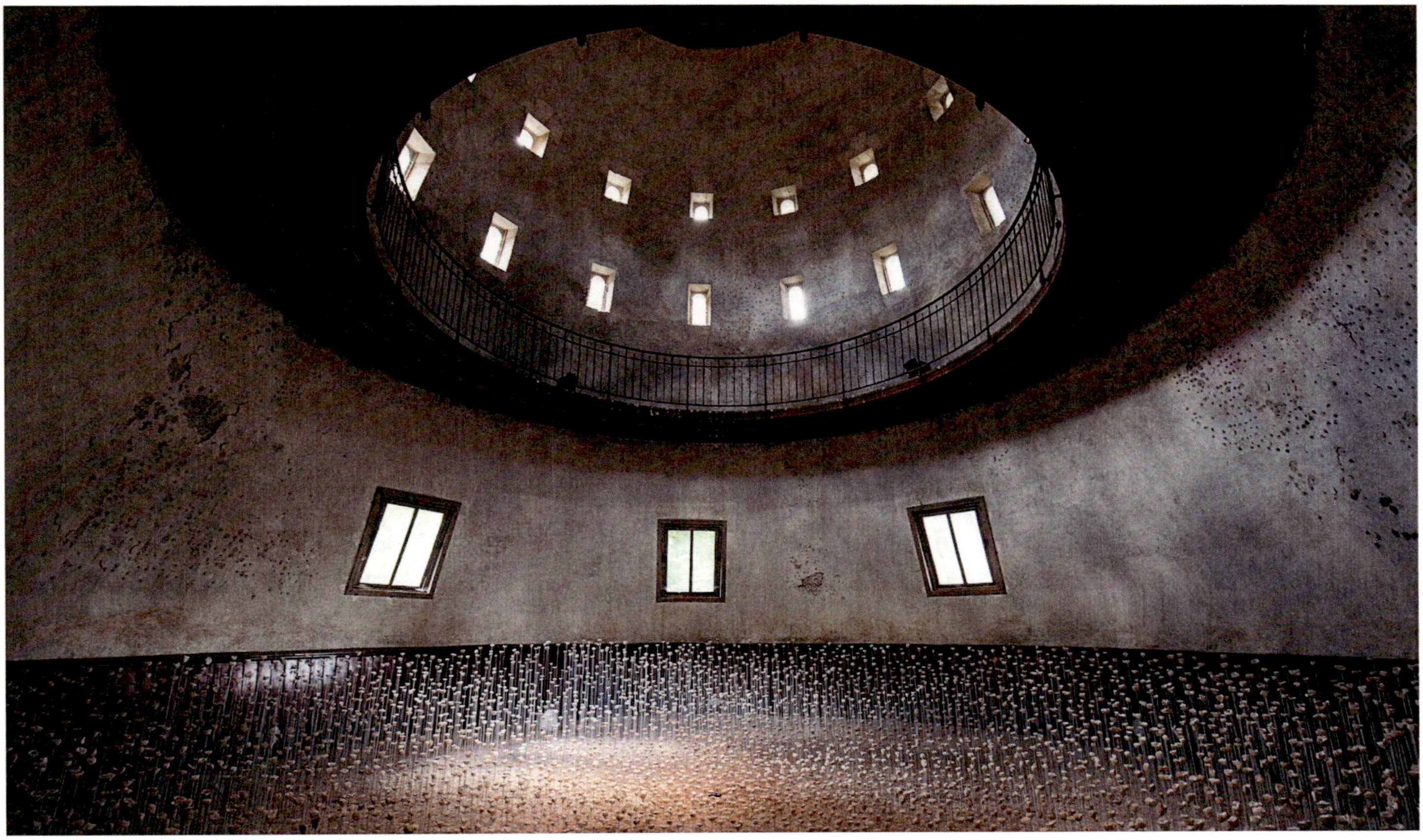

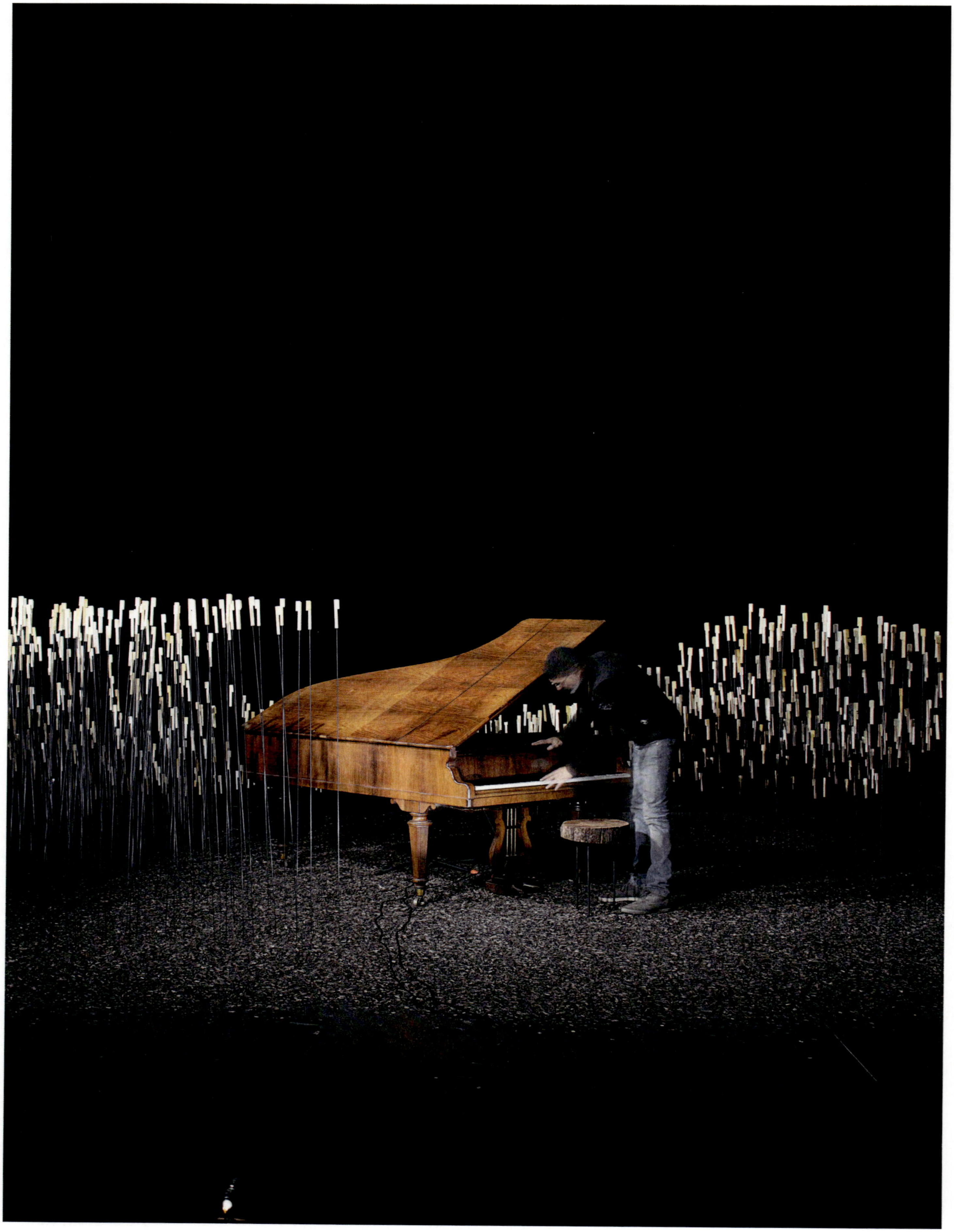

*Captation vidéo de l'installation
Les poussières d'ivoire.*

Le cueilleur de souffle

Un rêve d'art total, ou pour parler comme les Allemands, de *Gesamtkunstwerk* : voilà son aspiration, son idéal, le bel objet de son désir. Retrouver à travers les arts réunis une cohérence profonde dans nos vies éclatées, fragmentées, compartimentées. Toucher tous les sens et toutes les émotions à la fois, pénétrer les mondes intérieurs, faire vibrer l'être profond. Rien à voir pour autant avec l'œuvre de celui que l'histoire considère comme le porte-drapeau du *Gesamtkunstwerk* et qui, par la fusion des arts et la catharsis de la tragédie grecque – son grand modèle –, voulait élever l'âme du peuple : Richard Wagner. Rien de commun ici avec l'héroïsme tragique et la rhétorique du sublime de l'auteur des Nibelungen. L'art tout en légèreté lumineuse et en fragilité rêveuse de Stéphane Guiran cherche plutôt ses maîtres en attitude philosophique et en rapprochement des arts du côté des protagonistes du Black Mountain College, cette université libre de Caroline du Nord qui, entre 1933 et 1957, a diffusé un enseignement transdisciplinaire expérimental transgressant les frontières, brouillant les catégories et mélangeant les genres pour mieux imbriquer étroitement l'art et la vie. Tel John Cage qui, dans ses mythiques ateliers d'été, entrelaçait des sources d'inspiration venues aussi bien de l'histoire des pratiques musicales que de celles des arts plastiques, de l'architecture, de la danse, du théâtre, de la poésie ou de la philosophie bouddhiste, et préfigurait des formes d'expression comme le happening, la performance ou les installations multimédias qui ont pris une place fondamentale dans la création contemporaine.

Entre sculpture, dessin, photographie, écriture et mise en scène, en espace et en lumière de ses installations, Stéphane Guiran fait déjà à lui tout seul figure d'homme-orchestre, multipliant les registres et se jouant des frontières entre les langages et les expressions. Mais il aime aussi convier, au cœur même de ses environnements, la musique (notamment les improvisations au piano de son fils et de sa compagne chanteuse), la danse, la performance et la vidéo pour leur donner une forme de plénitude et de complétude sensorielle, émotionnelle, poétique et métaphysique, et les donner à vivre comme des expériences totales.

Il y a quelque chose d'extrême-oriental chez ce Provençal. Non pas qu'il cherche de quelque manière que ce soit à imiter le geste du calligraphe chinois ou japonais ni à en mimer les idéogrammes qui symbolisent d'un seul signe un mot ou une idée. Mais après l'effervescence de la vie parisienne où son bureau de graphisme avait depuis une dizaine d'années le vent en poupe, il y a dans sa décision de quitter la capitale pour s'installer en pleine nature au cœur des Alpilles, dans la frugalité volontaire de sa vie d'artiste, dans la place donnée à la pratique de la méditation et dans son choix de techniques de travail lentes et minutieuses, un besoin manifeste de mener une existence tout entière vouée à cette quête du sens de soi et du monde qui n'est pas sans rappeler celle d'un moine bouddhiste…, le bouddhisme en moins ! Mais avec une même aspiration à une forme de transcendance. Et une grande capacité d'écoute et de concentration pour aiguiser sa conscience au monde ; méditer sur l'impermanence fondamentale des choses et le flux constamment mouvant de la vie ; se couler dans l'immensité du temps et de l'espace ; et se fondre dans un univers où tout est relié à tout, à travers une cosmologie bien plus intuitive et poétique que scientifique.

A la manière d'un artiste asiatique aussi, il cherche à se relier au grand souffle qui traverse l'univers comme un principe vital, un flux perpétuel, une énergie cosmique dont il se sent partie prenante lui aussi. Et pour que ce souffle circule librement, fasse respirer le monde et innerve tout, il lui faut du vide, de l'espace, des zones en suspension, des distances et des intervalles entre les choses. Comme le silence en musique. Pas de musique sans silence, il est un paramètre à part entière de la composition musicale. Les silences, les pauses et les soupirs sont les respirations de la musique. Le silence qualifie la musique.

Céramiques de la sculpture
L'homme voilier.

De la même manière que dans les arts visuels, le vide qualifie le plein.

Et comme l'archer zen, il fait de sa pratique d'artiste une discipline de vie de chaque instant. *Le zen dans l'art chevaleresque du tir à l'arc* d'Eugen Herrigel est l'un de ses livres de chevet, qui lui rappelle que « L'objectif est de devenir complètement dénué d'ego, de telle sorte que l'âme, submergée en elle-même, se tient dans la plénitude de son origine sans nom ». Et que « pour que la flèche soit bien lancée, la détente corporelle doit être prolongée dans la détente mentale et spirituelle de manière à ce que l'esprit ne soit pas seulement agile, mais libre : agile grâce à sa propre liberté, et libre grâce à son agilité mentale ».

Au seuil du IIIe millénaire, le retour dans son Sud natal a marqué un premier grand tournant : l'entrée de Stéphane Guiran dans sa nouvelle vie de sculpteur sur acier. C'est un oncle sculpteur qui lui a mis la main au métal, puis un fondeur de Barcelone – où il s'est installé pour un an en 2004-2005 –, qui lui a fait découvrir le corps à corps très physique avec le matériau et le rapport à l'espace et au lieu. Curieusement, c'est à une époque où il n'en est qu'au début de sa mue et qu'il est encore loin du bonze laïc d'aujourd'hui, que ses sculptures peuvent évoquer des idéogrammes ou des haïkus en trois dimensions. Il traduit en volume ce qui a été son premier mode d'expression : le trait, la ligne graphique. Il met en forme son geste et le cristallise dans le métal, dessinant dans l'espace avec ses rubans d'acier, y écrivant des alphabets imaginaires, laçant et délaçant des nœuds géants, déroulant librement ses galbes et ses tracés virevoltants. Formes épurées, lignes élégantes, technique parfaitement maîtrisée : le sculpteur rencontre très vite un beau succès qui lui amène des commandes pour des œuvres monumentales et lui permet de se mesurer à l'échelle du paysage naturel ou urbain. N'était le décalage dans le temps, on pourrait dire qu'il fait alors œuvre de « classique moderne ». Et c'est bien ce qui amène sa galeriste suisse Alice Pauli à lui

Critique d'art et journaliste culturelle suisse (presse écrite, télévisuelle et radiophonique), Françoise Jaunin est l'auteur de nombreux catalogues d'expositions et ouvrages monographiques sur des artistes contemporains principalement suisses, ainsi que d'essais sur l'art et de livres d'entretiens notamment avec Balthus, Pierre Soulages, Giuseppe Penone, Anne & Patrick Poirier ou John Armleder. Généraliste dans sa spécialité, elle s'intéresse prioritairement à l'art en train de se faire, mais avec des va-et-vient constants entre passé et présent qui seuls permettent de comprendre comment l'art est partie prenante de son époque et comment, parfois, il la transcende.

dire en 2012 qu'elle n'exposera plus ce travail. Elle pressent en lui le potentiel pour une expression bien plus personnelle. Le verdict est sans appel ! Pour le sculpteur qui a pour elle le plus grand respect, il provoque un séisme majeur ! En réalité, une mutation souterraine est déjà là, en germe au fond de lui, mais vague et informulée encore. Or voilà que l'impérieuse nécessité de changement lui explose à la figure. Commençait-il à ressentir plus ou moins confusément le danger de s'installer dans un travail trop bien contrôlé ? Peut-être. Ce qui est sûr, c'est que le deuxième virage sera encore plus radical que le premier.

C'est d'abord la photographie qui prend le relai : les reflets mouvants et les symétries végétales improvisés en virtuose, les gribouillis enchevêtrés des arbres nus tracés contre le ciel, les broderies délicates des aigrettes de pissenlits ou l'élan ténu d'une brindille qui ondoie comme le profil d'une danseuse imaginaire..., c'est par une immersion dans la nature que Stéphane Guiran aborde son nouveau monde. La nature est sa muse. Tout l'y enchante, jusque dans ses plus petits détails. Le dessin qui sténographie le sensible, l'écriture qui met en mots ses rêveries, la sculpture qui raconte les poussées et les métamorphoses délicates des végétaux, lui en offrent d'autres portes d'entrée encore. Il pourrait faire siens les mots de Giuseppe Penone, l'artiste italien qui veut croître avec les arbres, être rivière, sculpter le souffle et respirer l'ombre, quand il dit : « On n'est pas devant la nature, on est dedans. On EST nature ». Il se passionne aussi pour le travail de l'Anglais Andy Goldsworthy qui calque intuitivement ses processus créatifs sur ceux de la nature même, en parfaite empathie avec l'esprit du lieu. Sauf que, contrairement au « land artist » qui prélève tous ses matériaux dans le paysage même où il œuvre le plus souvent de manière éphémère – pierres, mousses, branches, feuilles, glaces… – Stéphane Guiran, lui, aime à provoquer des rencontres singulières entre la nature qui l'inspire et les déchets industriels qu'il recycle pour leur redonner une nouvelle vie organique et végétale : les calcins ou débris de cristaux récupérés dans les cristalleries ou les verreries, les éclats de pierres translucides ou luminescentes et laiteuses comme le quartz ou la sélénite, les touches de pianos recueillies pour que l'ivoire des éléphants ne finisse pas à la déchèterie, les tiges métalliques oubliées qui ont perdu leur utilité, la terre crue ou émaillée… La transformation est le maître-mot : transformer pour redonner une vie poétique et métaphorique à des matériaux qui ont gardé la mémoire d'un passé le plus souvent industriel. Conjuguer le fragile avec le dur, imbriquer la nature et l'abstraction, entrelacer le tactile avec l'immatériel, mettre en écho les résidus de fabriques avec les bruits de la nature ou des murmures humains enregistrés à la manière de sculptures sonores.

Tout commence par des balades dans les collines calcaires et les forêts des Alpilles où tout l'émerveille et l'interpelle : les chants d'oiseau, les mousses, les lichens, les pierres, les branchages, les feuilles… Il se met à l'école de « La Nature, ce grand sculpteur », pourrait-on risquer en paraphrasant le titre du fameux essai de Marguerite Yourcenar *Le Temps, ce grand sculpteur*. Il lui faut ensuite trouver les justes correspondances entre une branche et un tube d'acier, une tache de lumière et un morceau de verre, une page d'écriture et une plaque de terre grattée. L'étape de l'élaboration est parfois virtuelle. Proche du rêve éveillé. C'est par des esquisses à l'ordinateur que s'échafaudent et se mettent en place les plus grandes constructions imaginaires pensées en fonction du lieu particulier, intérieur ou extérieur, qui les accueillera. Avant d'être, moitié réelles et moitié virtuelles, réalisées - et c'est lui qui parle - pour « sculpter l'émotion ».

Françoise Jaunin

Stéphane Guiran

Les mers rêvent encore

Le livre

Je sème des graines pour nourrir nos silences.

L'intériorité est le jardin de la conscience. Plus on agrandit cet écrin, plus on fait grandir l'humain. Je suis profondément humaniste. Je crois en l'Homme.

Un livre est un être dont chaque lecteur se fait peau. Sculpter avec des mots, c'est rechercher les visages, les respirations, les regards qui se terrent dans les présences qui nous habitent. Et les ébruiter pour qu'ils deviennent rumeurs. Paroles. Matière.

Récits.

Lueurs dans la nuit.

Avant que la gomme du Temps ne vienne effacer toute trace. Avant que tout ne redevienne nuage. Pour que les crayons de demain soient libres d'écrire de nouveaux récits.

Humus des jours.

Nous sommes écrits par la Vie.

Parchemins de l'incertain.
Encore et toujours chemin.

L'arche dénouée, vidéo.
Lecture d'un extrait du livre.
Durée 9 min 24 s

Ci-dessus : temple d'Eiheiji, Fukui, Japon, 2019.
Enregistrement du vent, bande sonore de la vidéo *L'arche dénouée*,
lecture d'un extrait du livre *(9 min 24 s)*.

Ci-contre : Tokyo, Japon, 2019. Gyoen Park, Kiyosumi garden,
vidéo *L'arche dénouée*.

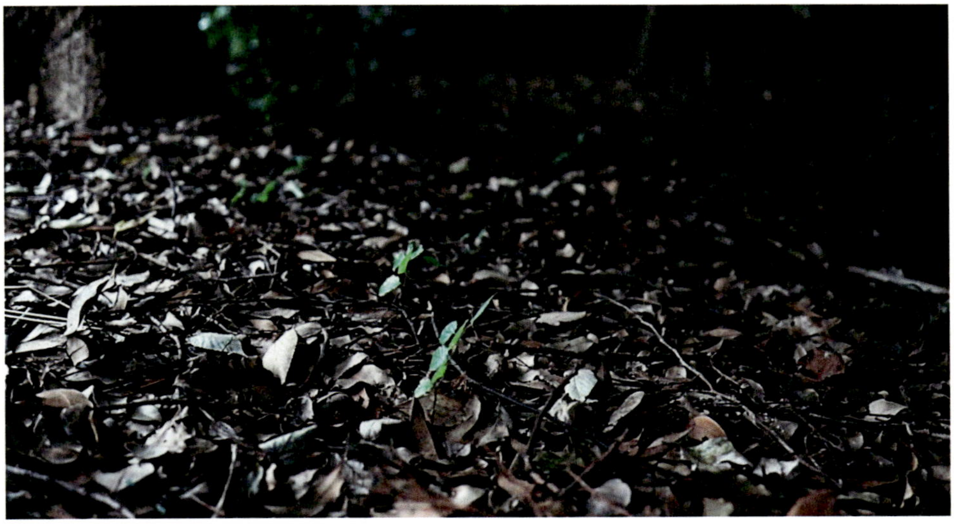

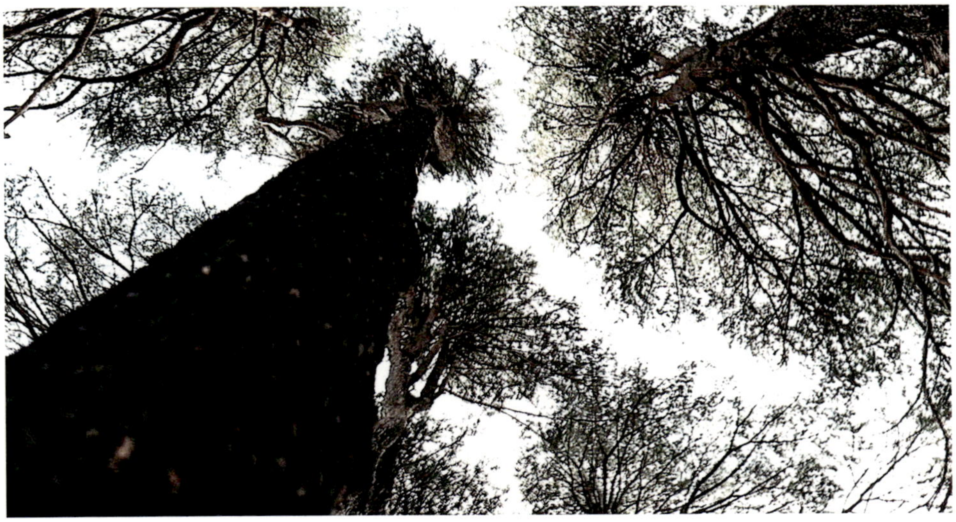

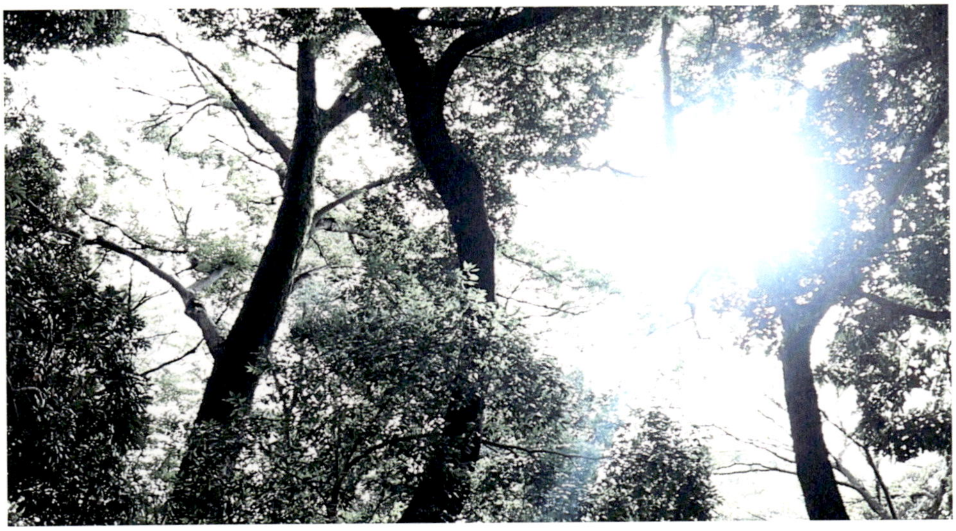

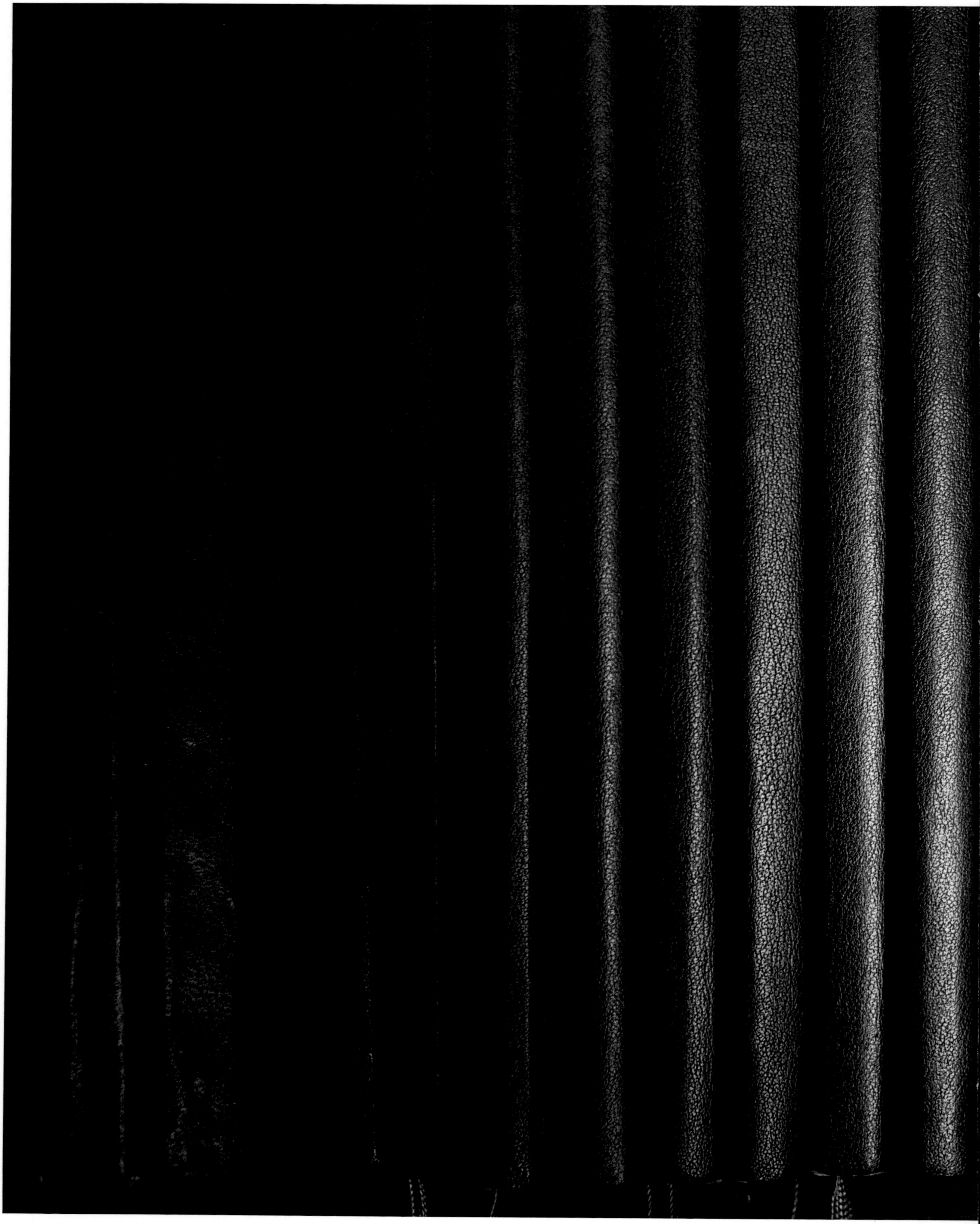

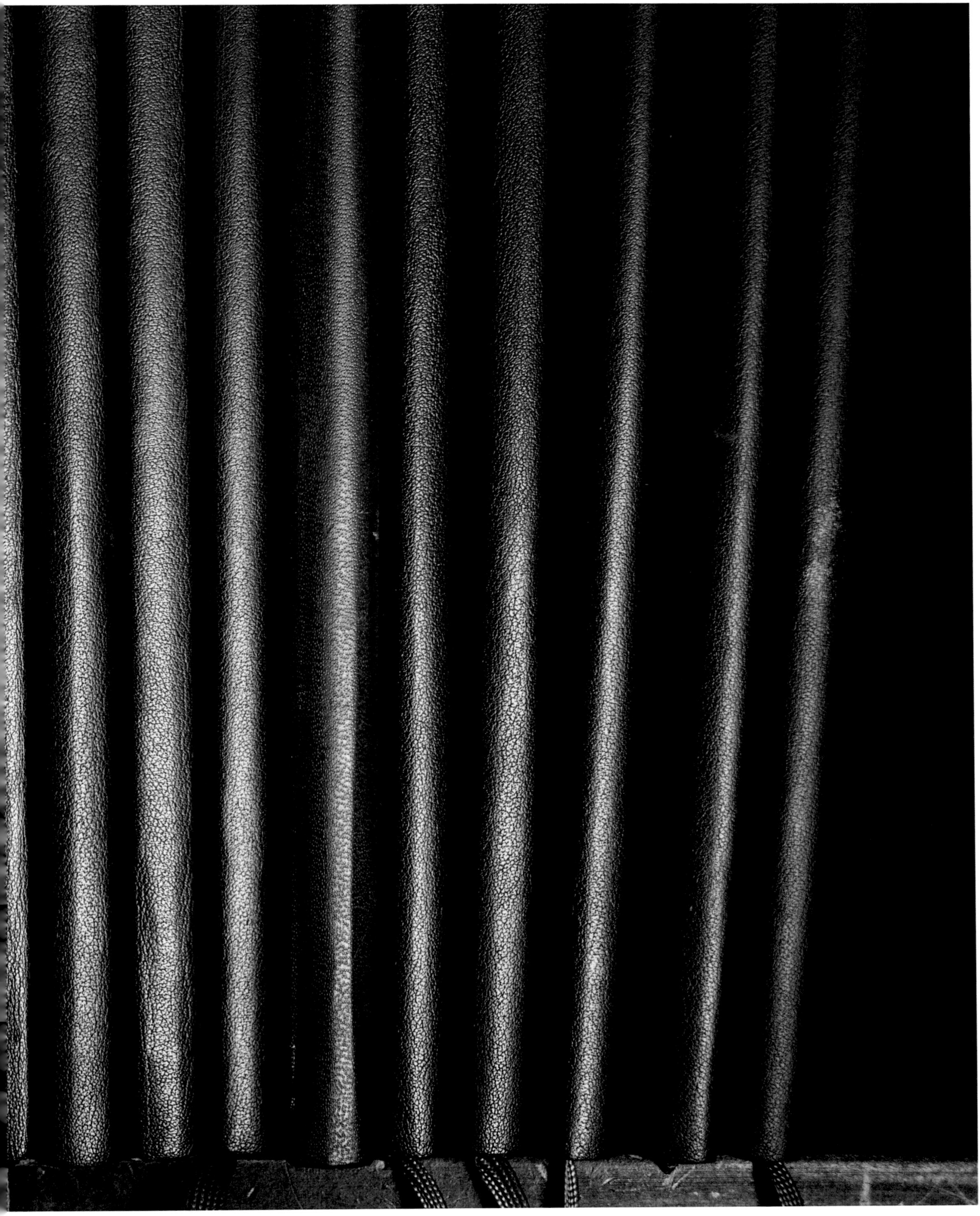

Page précédente : archive de carnets. Ecrits et esquisses, conservés depuis 2010.
Ci-dessus : carnet-manuscrit du livre, printemps 2019.

[page de carnet manuscrit, partiellement lisible]

... pour le vent s'en fut. Un jour puis deux jours... des
semaines des mois. Jusqu'au seuil de l'an, ... un
fût vent.

J'avais appris à naviguer par tout temps. J'étais taillé
pour la tempête et l'ouragan.

Pas pour le néant.

                                    à perte de ... , à perte de ... .
Dans cette absence où les vagues du quotidien ont coulé sous la
... Voici l'océan s'est fait miroir ... ... pour m'obliger
à ... regarder ... visage de mon être dans la profondeur

Le son ... ...

Les dernières certitudes ont coulé dans les eaux de cette absence
de mes ... d'ambitions ... tous les visages de mon ego
... ... attendues —

L'alchimie du néant

Un jour, le vent s'est tu. Ce jour dura des jours. Des semaines. Des mois. Jusqu'au seuil de l'année, rien ne fut soufflé.

J'avais appris à naviguer par tous temps. Mon voilier était taillé pour la tempête et l'ouragan.

Pas pour le néant.

Un matin sans vent est comme une phrase sans majuscule. Il lui manque l'élan. La force d'aller de l'avant.

Dans le silence de l'air, l'étrange sentiment d'être entre deux eaux. Celles d'hier et celles de demain. Escale en quarantaine. La force perd l'appétit. L'envie s'ennuie. La vie s'enlise.

Récit rédigé de février à avril 2019.

Une édition originale a été imprimée par l'atelier de Gilles Colleu
à La Roque d'Anthéron, parution juin 2020, éditions Les Heures Brèves.

Il a été tiré de l'édition originale cinquante exemplaires
sur papiers Fabriano Tradizione pur coton et Sirio Pearl, numérotés 1 à 50
et dix exemplaires hors commerce, numérotés I à X.

Je suis resté ainsi de longues heures. Des heures et des jours. Des jours d'absence. Assis à l'ombre des voiles creuses.

Attendre.

Attendre sans savoir pourquoi, sans même savoir quoi. Attendre.

Attendre tel un marin les pieds en terre. Scrutant l'horizon en quête d'un gréement. La mer sans vent est une étendue sans eau. Une promesse qui aurait perdu le voyage qu'elle porte à tire-d'aile.

Nous passons nos jours à créer des attentes. Nos pensées dessinent des maisons bleues. Pleurent devant les falaises de nos peurs. Et nous restons suspendus comme des pointillés. Naviguant entre l'espoir vierge de la page et le noir de l'encre qui la ponctue. N'osant plus écrire le livre de notre vie.

Chaque soir, nos espérances et nos faiblesses vont ensemble au cinéma. Elles passent des nuits blanches à projeter leurs images. Jusqu'à ce que le vécu impose sa version.

Du décalage entre l'attente et ce que nous vivons naît la souffrance.

La souffrance est l'impatience cachée dans l'attente.

Même après des mois de dérive, jour après jour, l'attente revient. Ses mains pleines de desseins nous rhabillent de bas en haut. Elles reprennent les crayons des pensées et esquissent de nouveaux chemins de traverse.

Le chemin que nous sommes ne supporte pas l'arrêt. Nos instincts de marins veulent embarquer sur le premier navire. Sans même savoir vers quelles terres il appareille. L'arrêt est la porte du néant. Un abandon qui crie.

Il y a pire que l'errance. L'impossibilité d'errer.

Dans la fin du mouvement, l'ombre de la mort.

C'est pour nous initier à la mort que le vent se retire parfois. Enseignement. L'absence du vent est enseignement.

Lorsqu'il nous laisse seuls sur l'océan, effaçant tout chemin, nous débordons de vide. Prisonniers d'une échappée qui

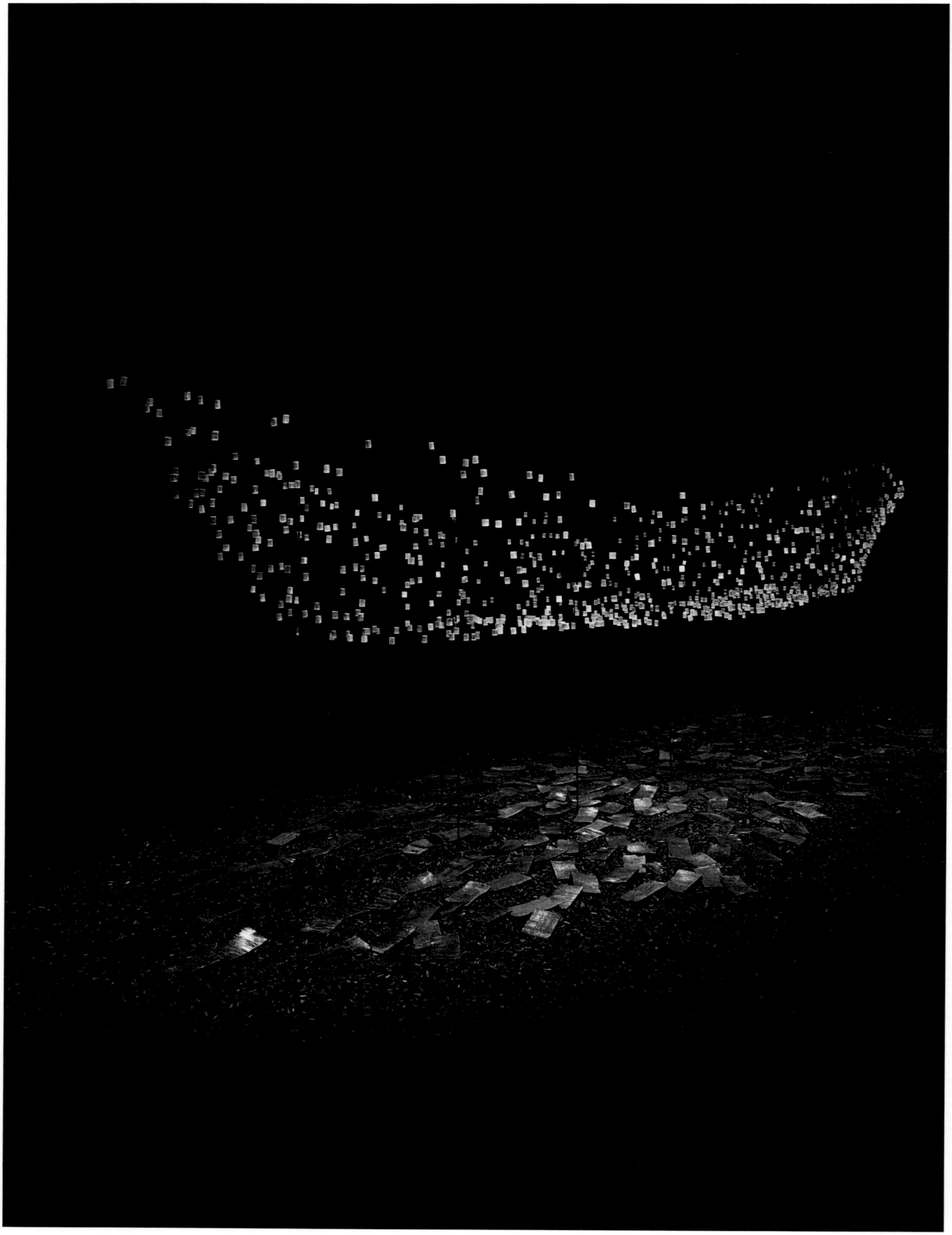

L'homme voilier

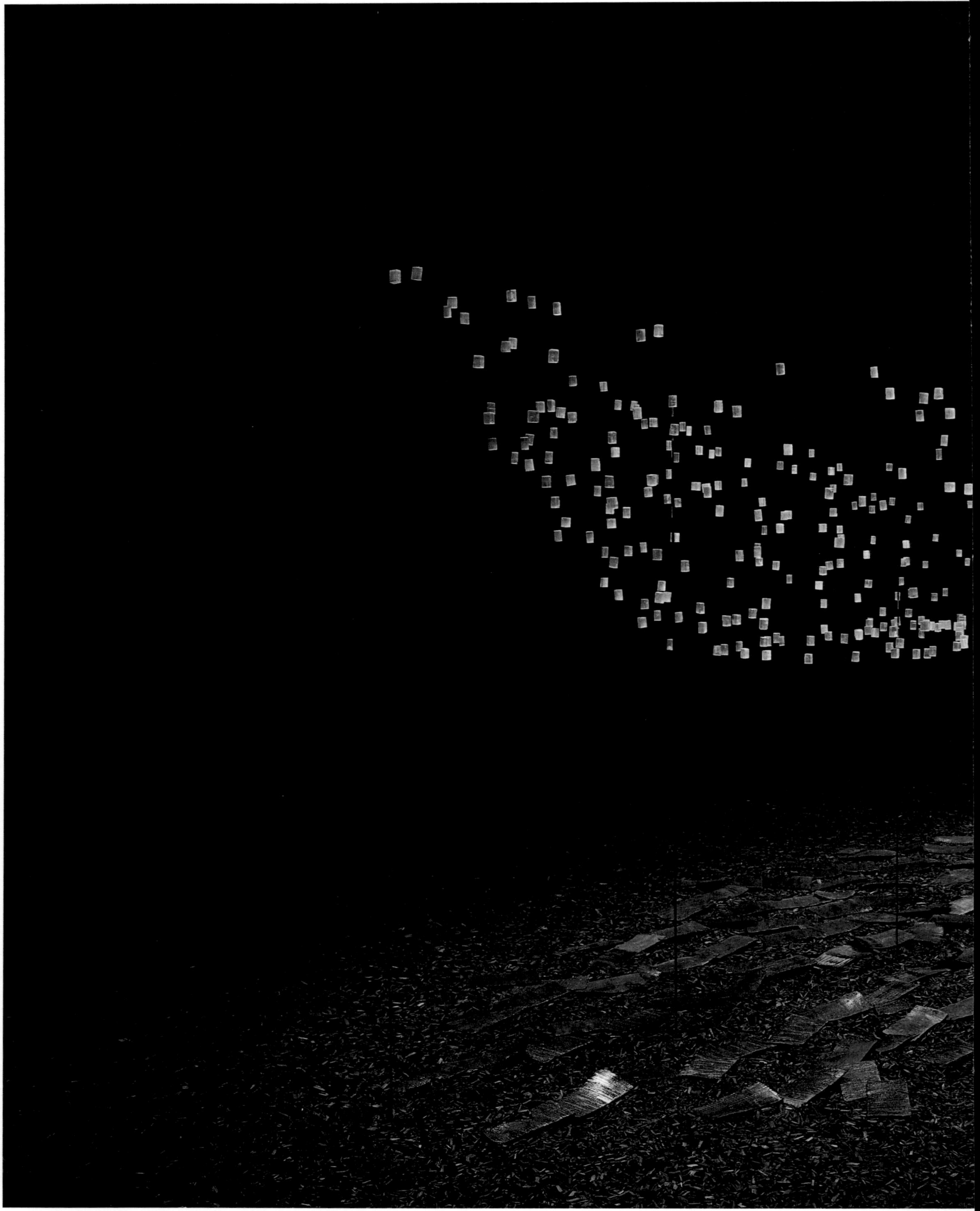

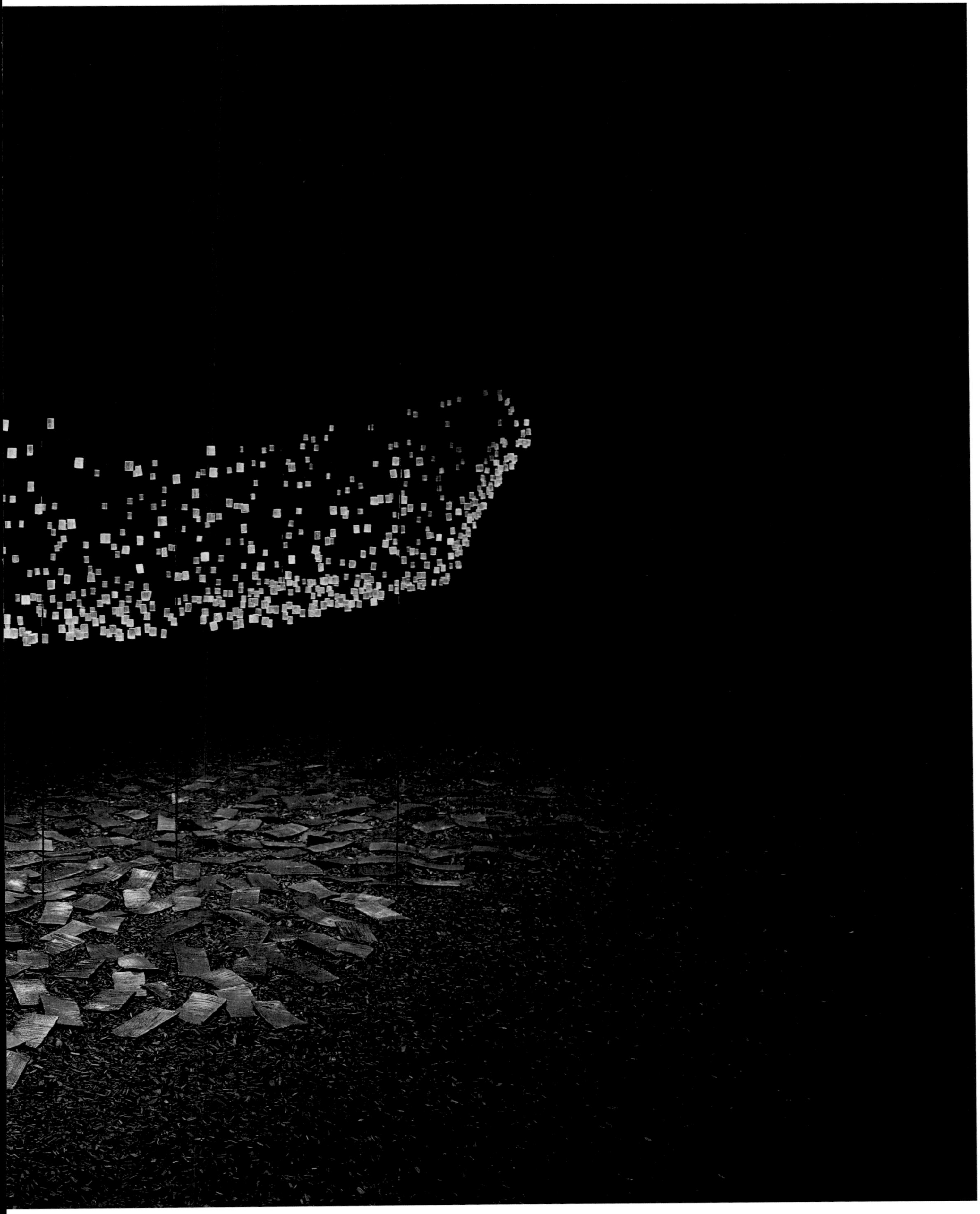

L'homme est un voilier en errance entre l'ici et l'ailleurs.

Les mers rêvent encore, page 11

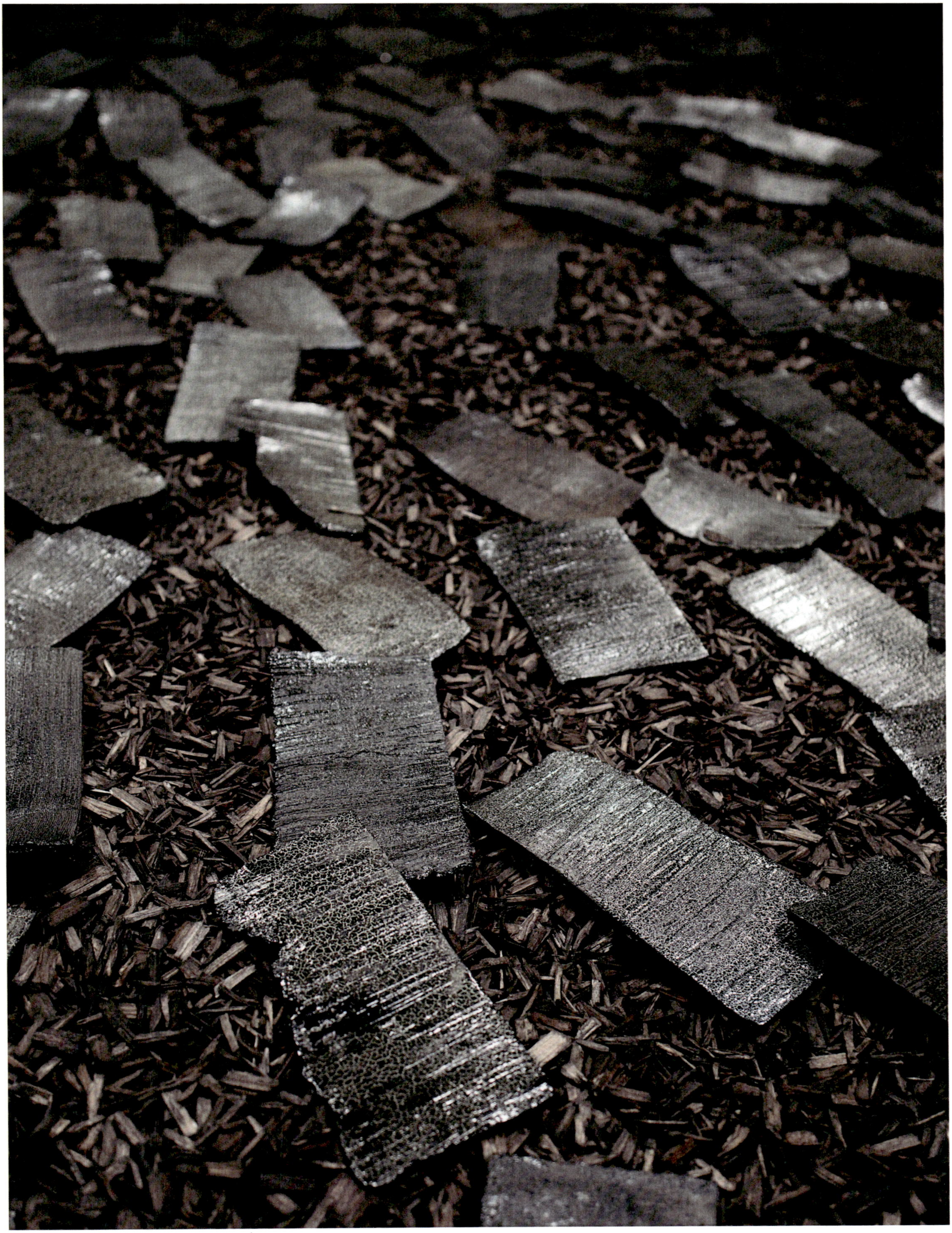

L'homme voilier :
création 2020.

220 sélénites,
70 céramiques émaillées,
miroirs, paillage.

Dimensions :
4 m x 3 m. Hauteur 3 m.

C'est l'histoire d'un voyage déployé dans cette maison qui fut celle où René Char déposa son fonds littéraire. Une maison que la poésie habite. On en traverse les chambres comme les escales d'un périple, comme les chapitres d'un livre, comme les séquences d'un rêve.

C'est en rêve justement que le récit lui est venu. Stéphane se voit assis à sa table de cuisine quand arrive Henri Michaux, l'homme qui croise les dessins et les mots, le poète et peintre qui « crée pour se parcourir ». Sans dire un mot, voilà qu'il écrit sur la table : «les voiliers de l'amer», gribouille une esquisse, et disparaît. Pas l'ombre d'une mer alentour dans ses collines des Alpilles pourtant, mais des maisons claires comme des voiliers, des arbres dressés comme des mâts, un air cristallin idéal pour garder le cap et un mistral propre à gonfler les voiles. Comme une invitation au voyage ! Michaux ne l'avait-il pas dit : « Un jour j'arracherai l'ancre qui tient mon navire loin des mers » (« Clown », Paroles, 1939).

Toute la maison est plongée dans la pénombre. La nuit n'est-elle pas la plus propice pour larguer les amarres ? Pour plonger vers les destinations inconnues de l'intériorité ? Pour se projeter vers tous les possibles ? Tout est prêt pour l'embarquement, le voilier attend le visiteur dans la première salle. Mais dès le seuil, c'est le saisissement : voilà que le bateau y apparaît bien plus grand que l'espace, dans une pluie de pixels lumineux et de miroirs qui le multiplient par quatre. Nos rêves aussi sont bien plus grands que nos têtes ! Et l'espace intérieur est celui que l'on se donne. Infini peut-être. Suspendus par des fils invisibles, des dés de sélénite, parfois appelée « pierre de lune », dont le gypse cristallin irradie d'une luminescence laiteuse et satinée, piquettent dans le noir le corps fantomatique de l'embarcation géante.

Au-dessous de cette coque en lévitation, le sol est jonché de pages écrites comme tombées du grand livre pétrifié de la mémoire et de l'inconscient. Quel que soit le voyage, nous pouvons peut-être alléger quelque peu notre bagage, mais fondamentalement, celui-là nous est consubstantiel, où que nous allions. Ici les pages sont de fines tablettes en céramique émaillées aux reflets métallisés et entièrement gravées d'un griffonnement ténu dont seuls quelques mots apparaissent par-ci par-là, comme des rescapés émergeant à la surface du lisible : hier, peur, amer, doute, désir, non, seul, oui, silence, aimer, encore, pur… Sur toutes les pages-tablettes, une lettre isolée revient tel un sceau gravé ou un leitmotiv obstiné : M, comme aime. Parce que l'amour est, avec toute la gamme de ses déclinaisons, le moteur premier de nos existences.

Mais sommes-nous là dans un environnement réel ou virtuel ? Les deux en même temps, puisque seul un quart du bateau est matérialisé par les petits carrés d'alabastre, les plaques en céramique et le paillage végétal sur laquelle elles sont éparpillées, et que tout le reste est de l'ordre du reflet et de l'illusion. Il y a quelque chose d'à la fois tactile et sensuel dans le choix de ces matériaux, mais d'immatériel aussi avec ces taches de lumière qui dessinent le bateau en pointillé et les miroirs qui les répercutent et les propagent. Il y a aussi cet éloge du temps lent et du silence dilaté contenus dans l'infinie répétition des gestes nécessaires pour découper les fragiles cubes de sélénite, pour les suspendre un à un à la juste hauteur, pour aplanir et découper la terre de chacune des tablettes, l'une après l'autre, puis pour les graver et enfin les émailler et les cuire. Un travail de bénédictin que la précision, l'exigence et la patience illimitées qu'il demande transforment en des manières de rituels méditatifs.

F J

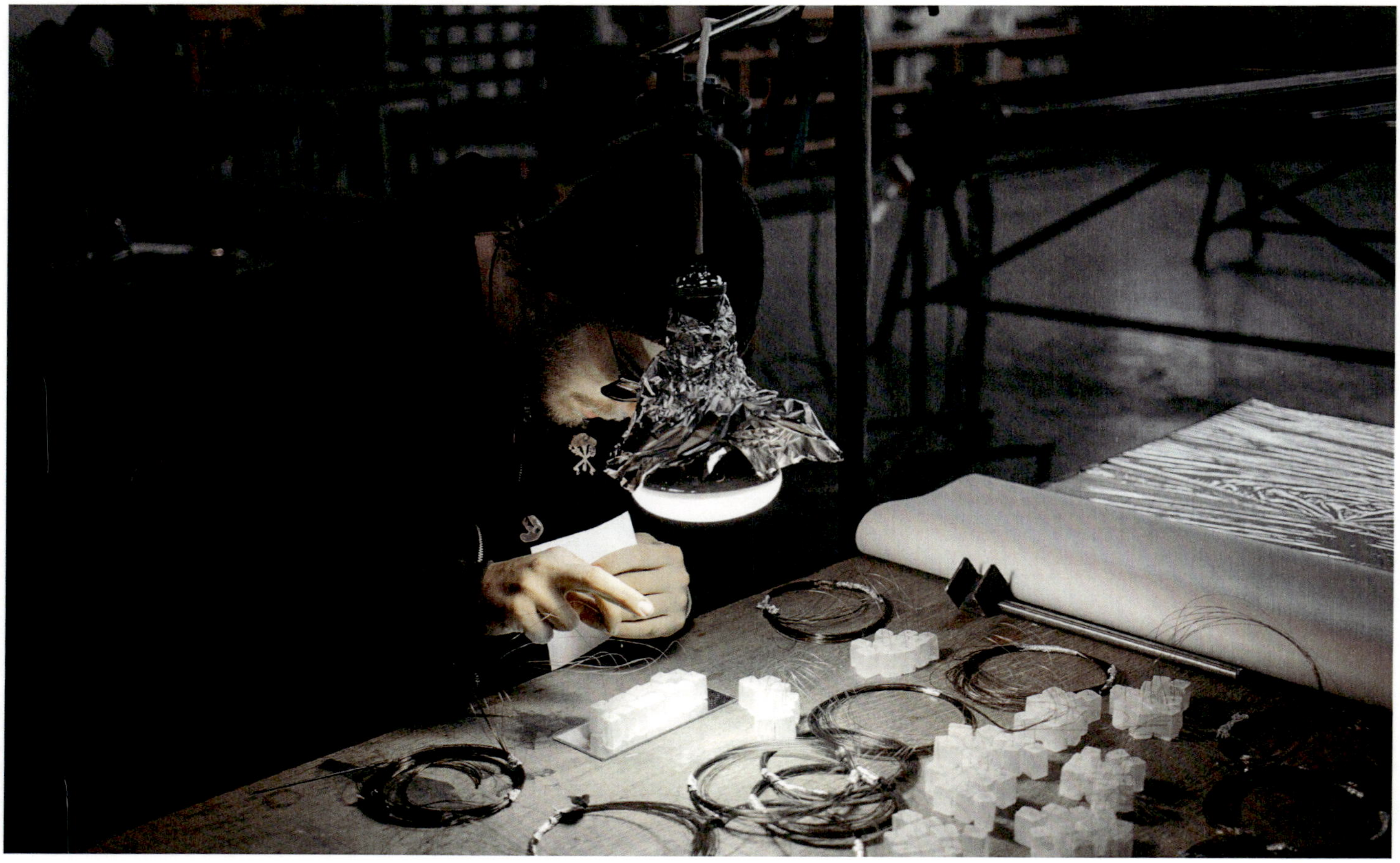

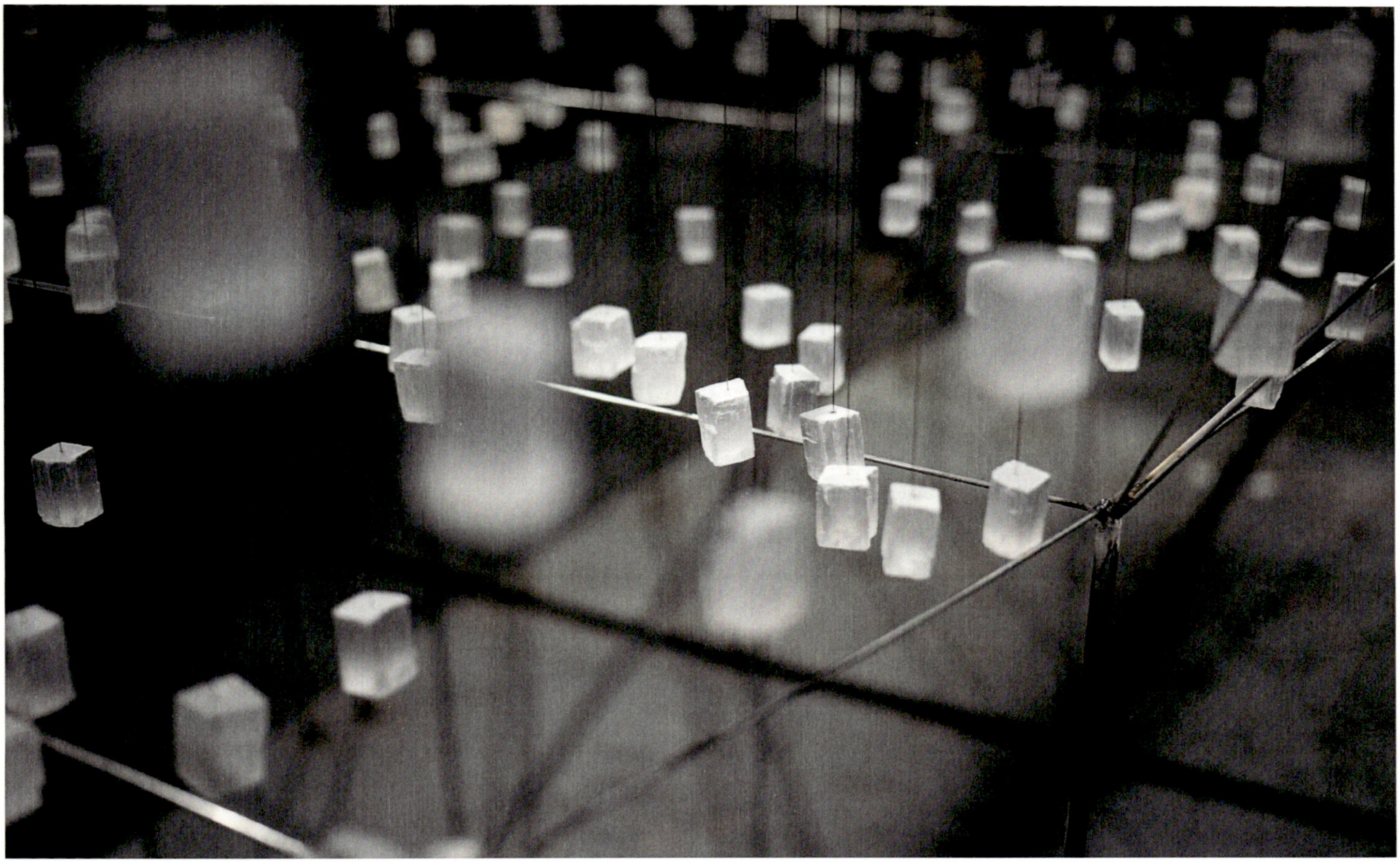

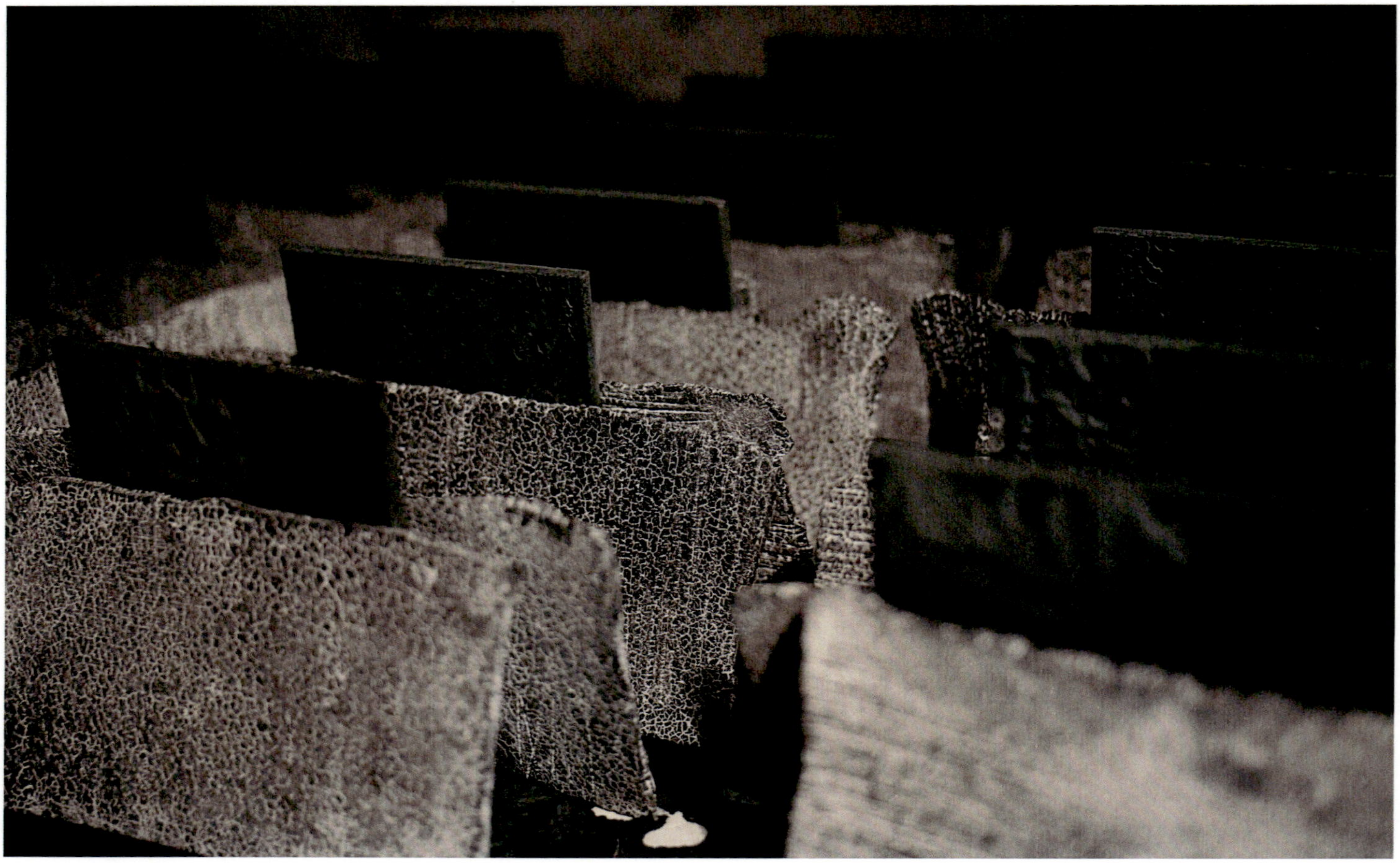

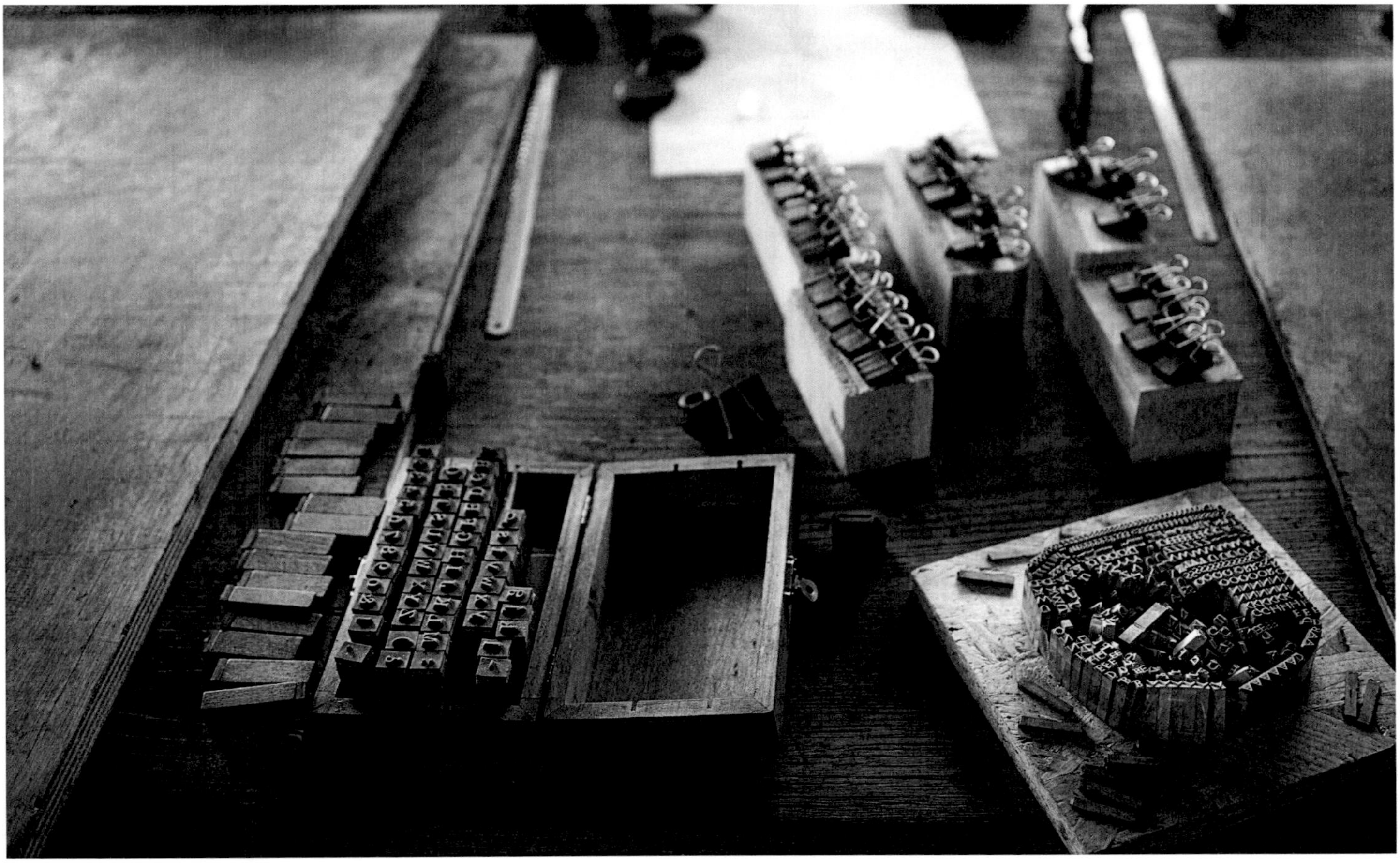

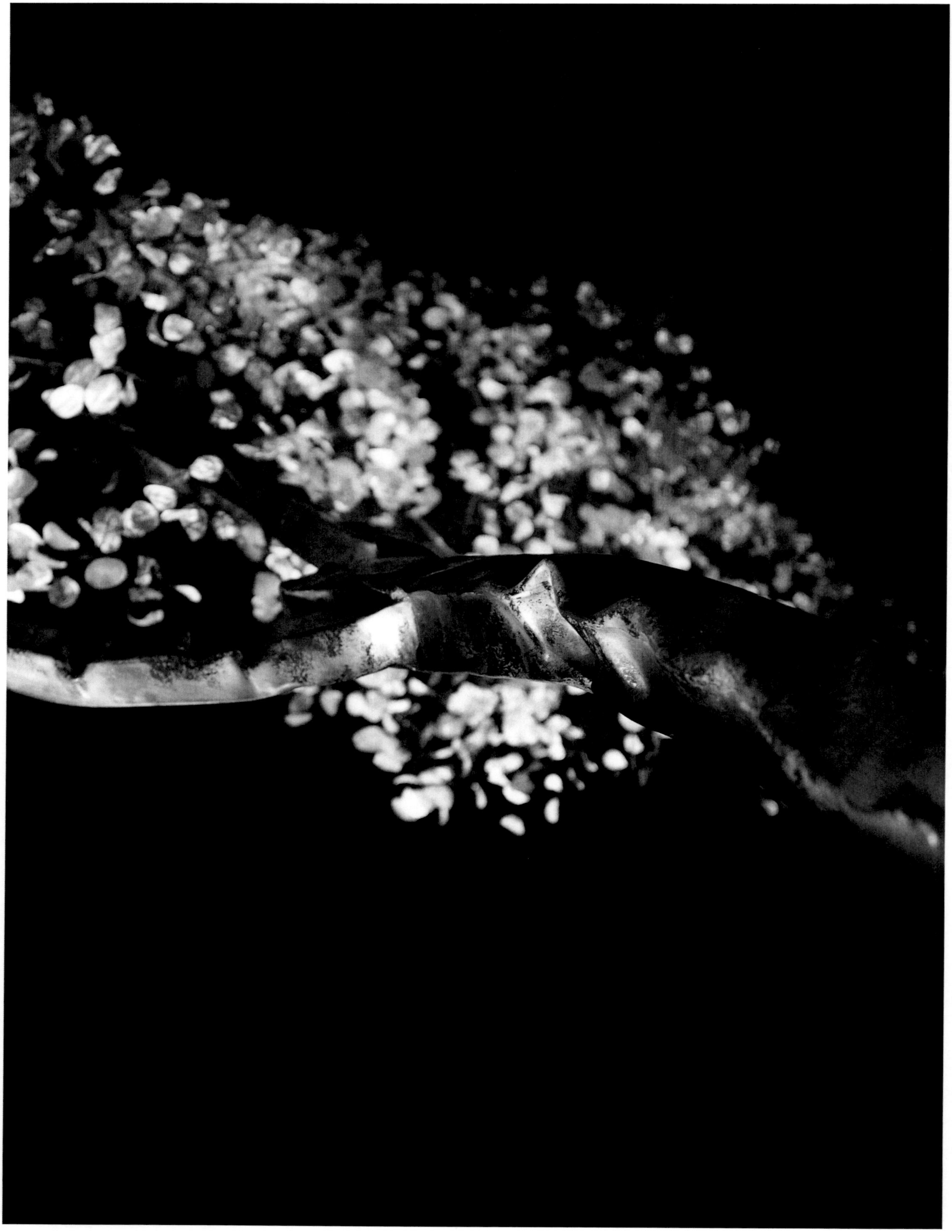

Les lumières de l'ombre

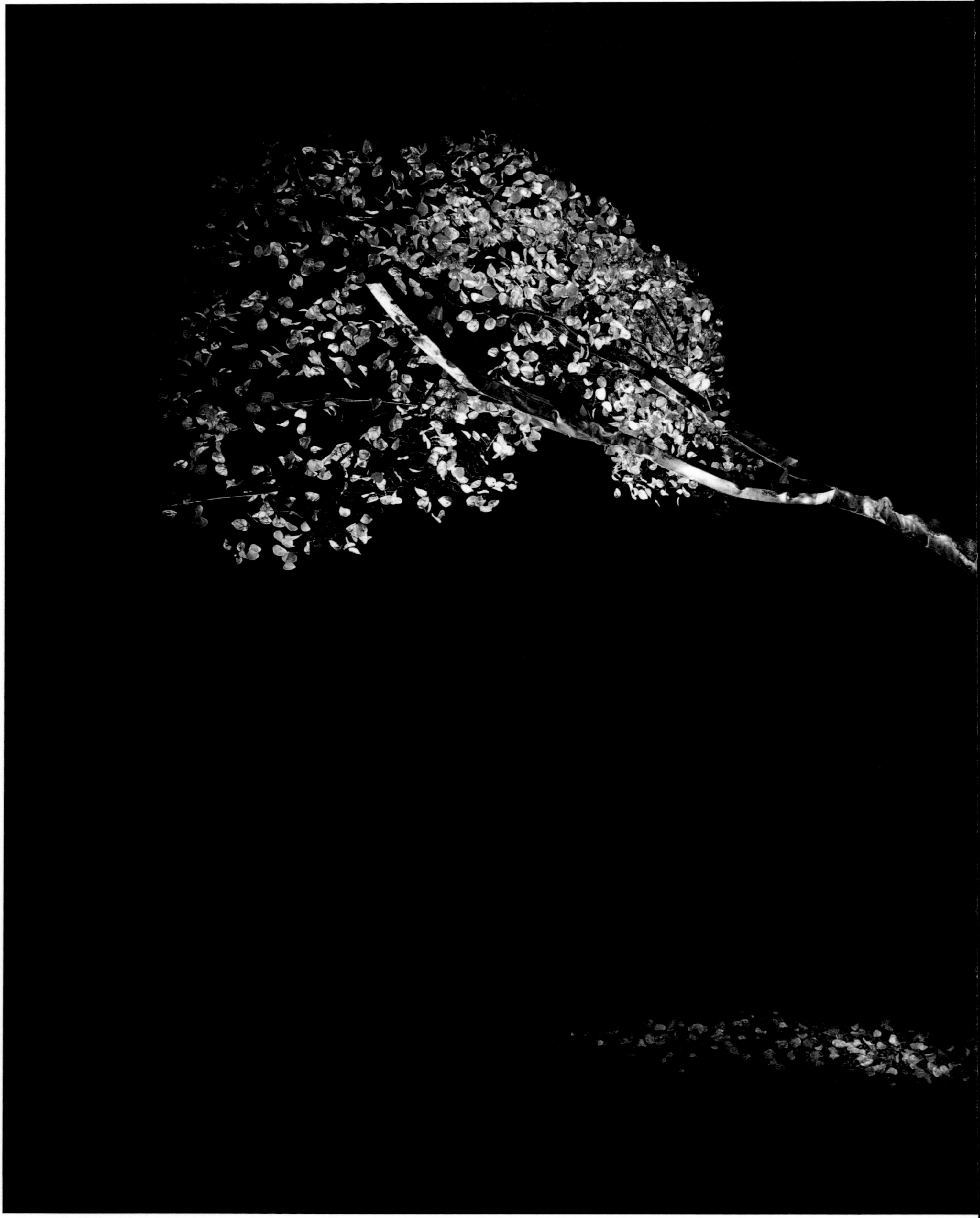

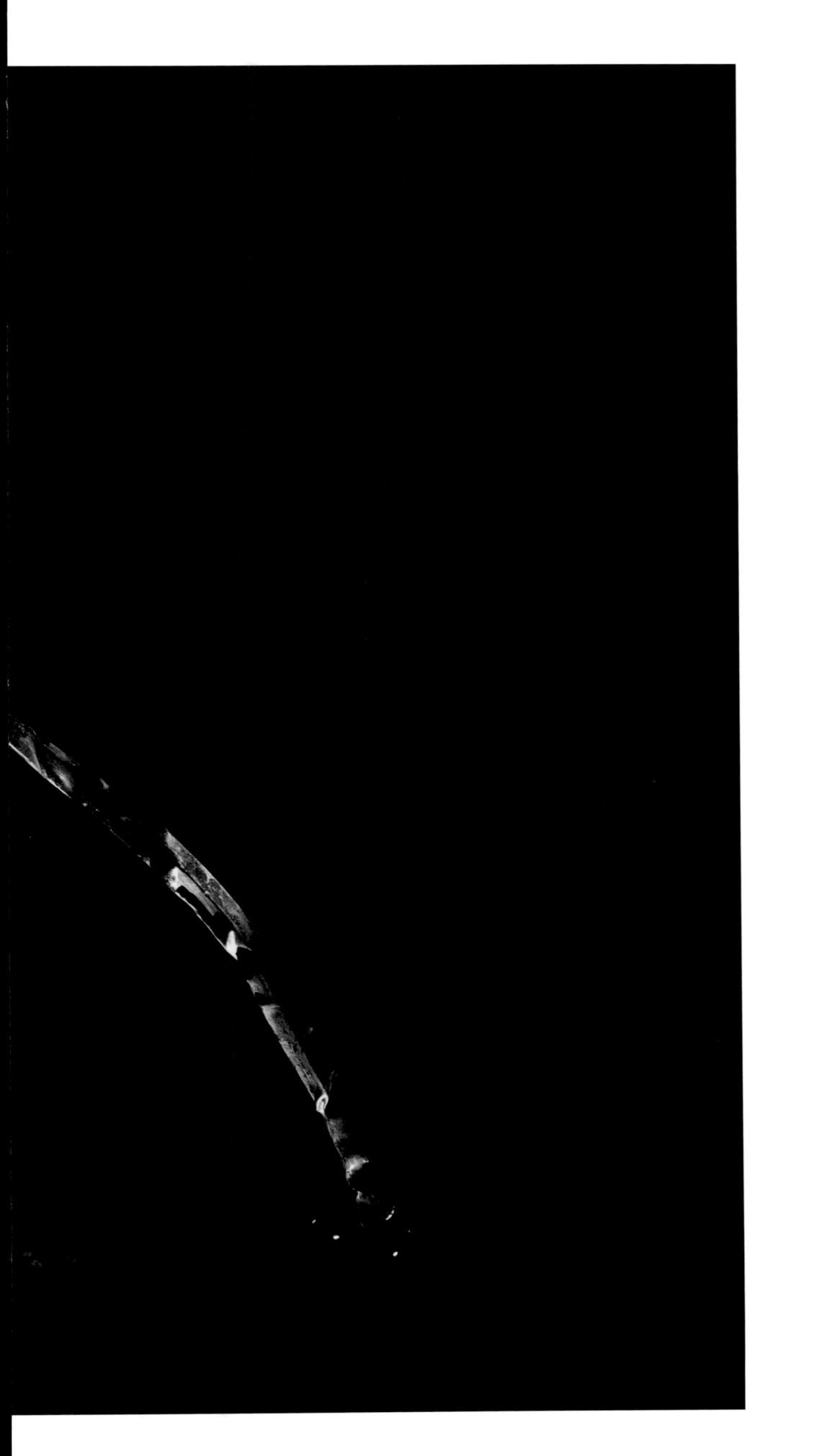

*L'homme doit affronter l'épaisseur de la nuit
pour perdre son ombre. Pour grandir en lumière.*

Les mers rêvent encore, page 62

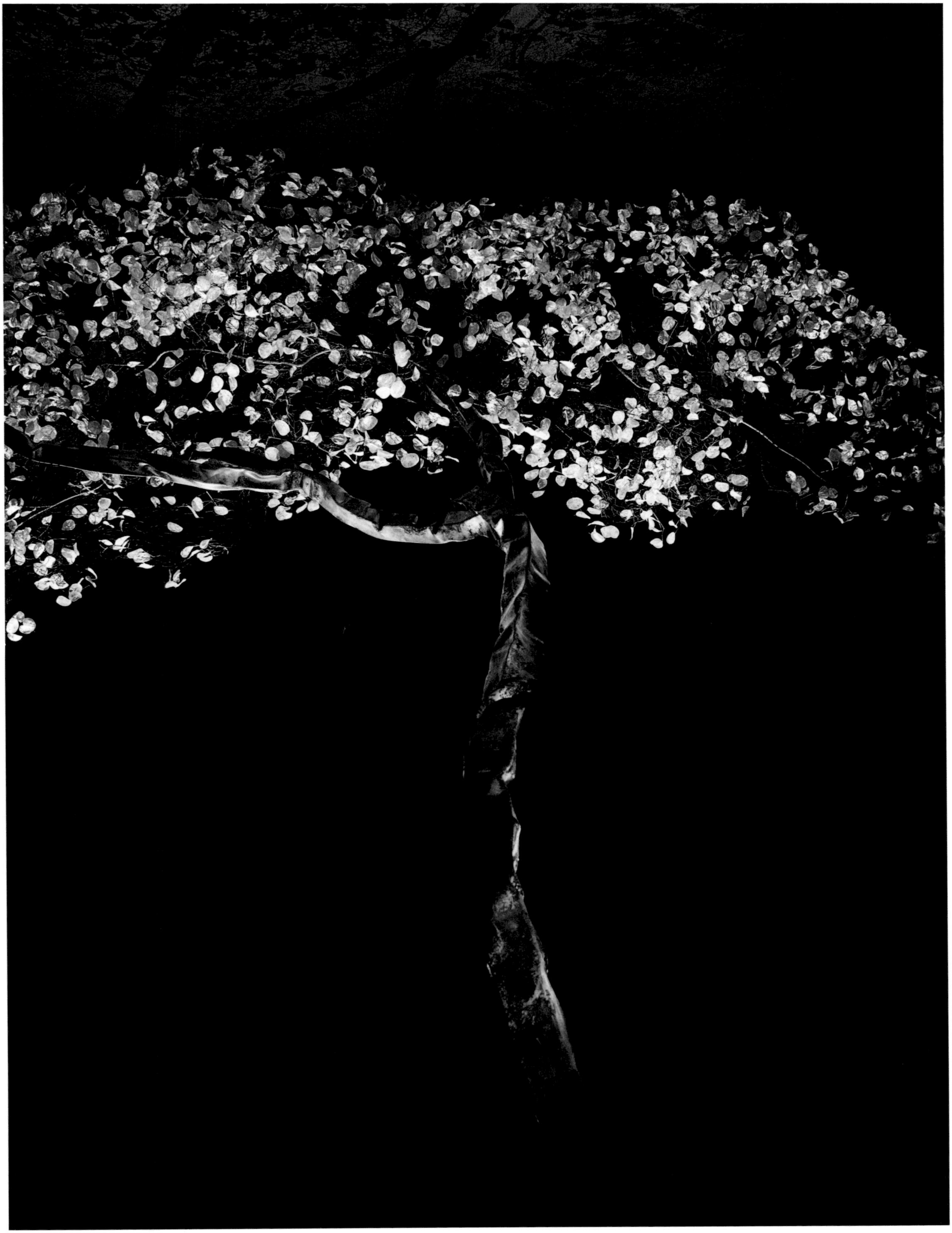

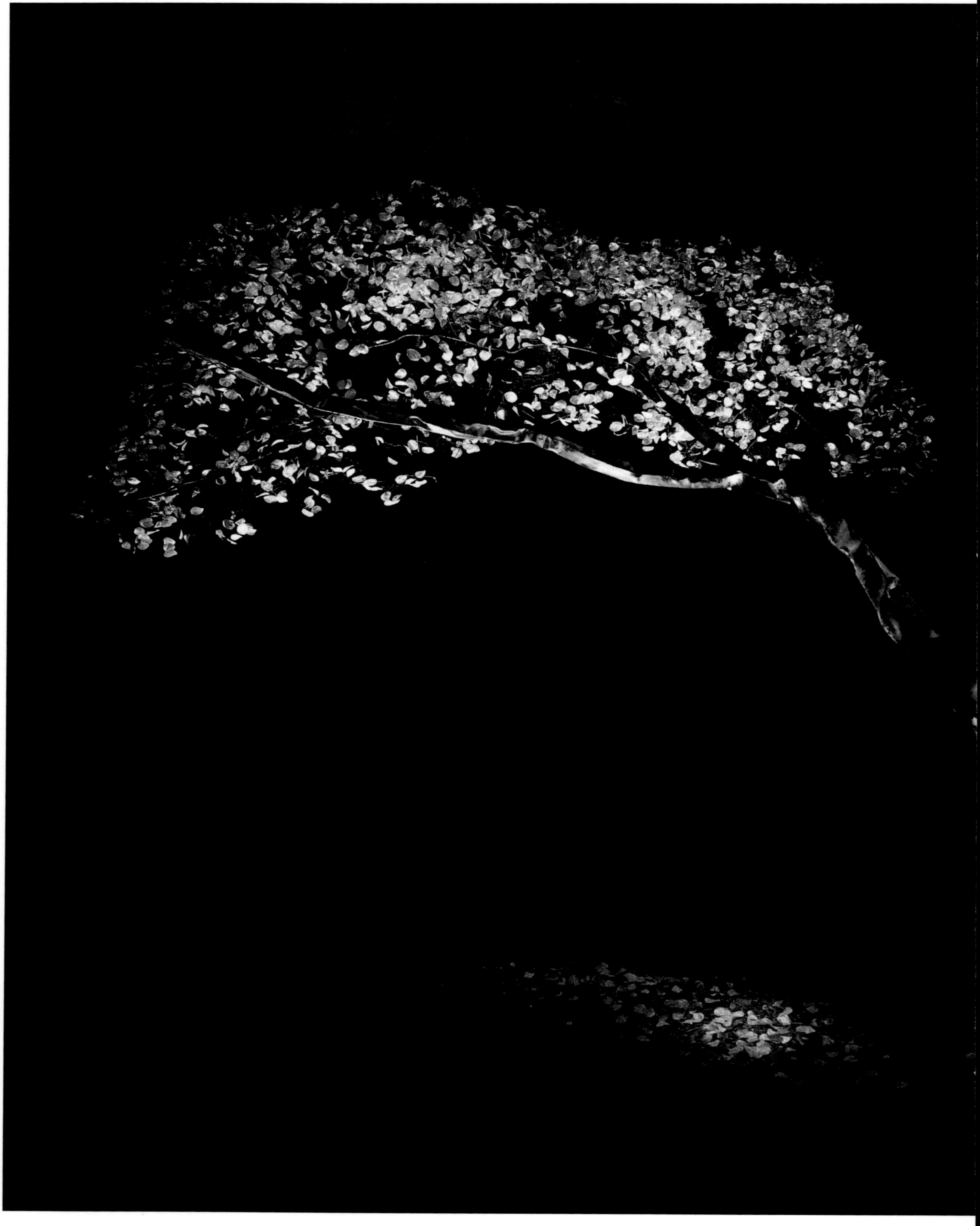

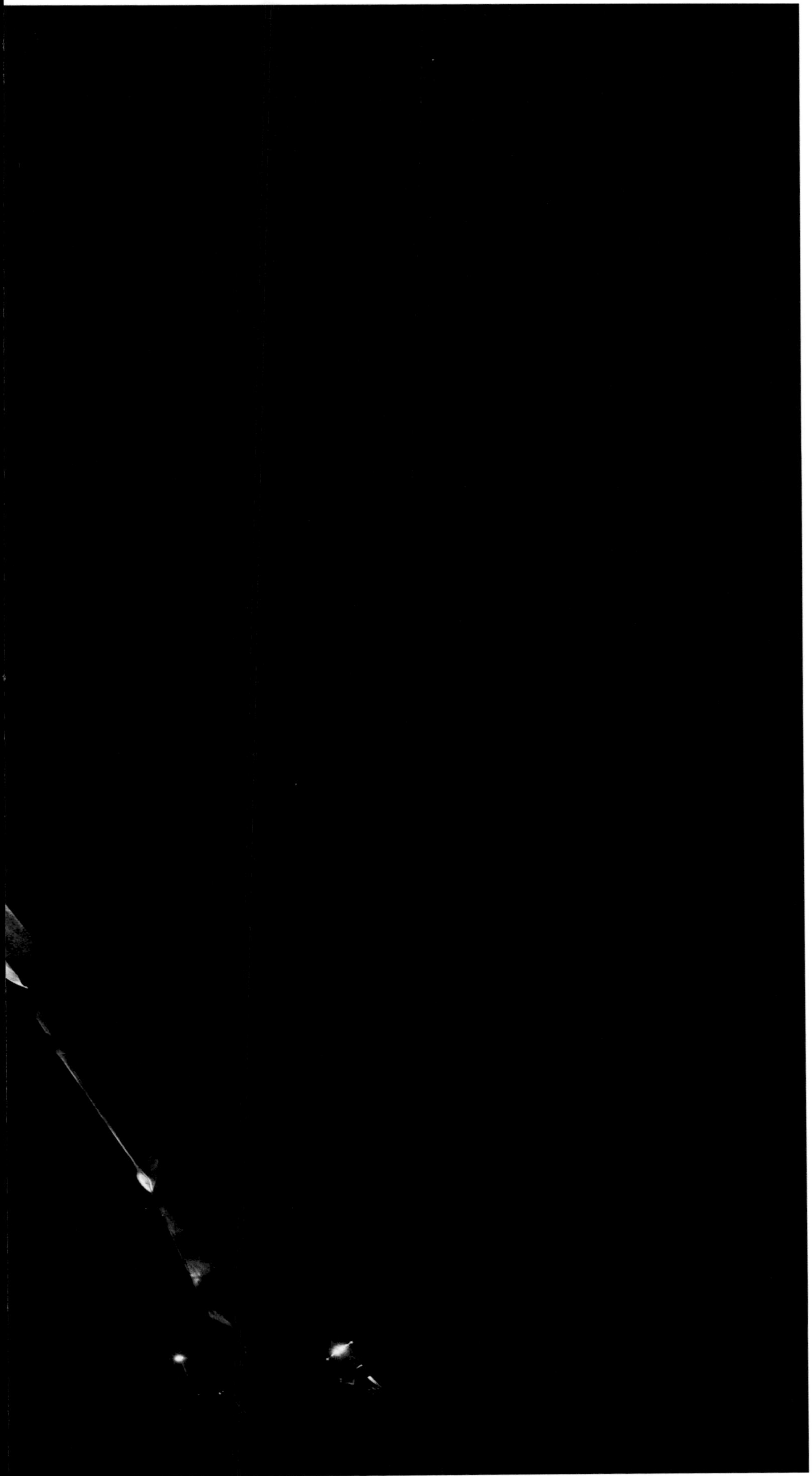

Les lumières de l'ombre :
création 2020.

Acier cristallisé et lunaires,
pièce sonore (*Les voix liées*).

Dimensions :
3 m x 3 m. Hauteur 3 m.

Le voilier a appareillé, le voyage commence. Il s'enfonce dans le rêve et l'imbrication d'ombres et de lumières qu'implique toute expédition, tout périple, toute traversée. Là aussi le noir domine, les repères s'effacent. Déboussolé, le voyageur doit prendre le temps de laisser ses yeux s'habituer à l'obscurité pour en voir surgir les lumières de ce jardin imaginaire : un arbre oblique, incliné par les vents et couronné par le pointillisme étincelant et diaphane de sa frondaison. Tordu, vrillé par les coups de boutoir des bourrasques dont il a, loin de s'y affronter, épousé le mouvement, son tronc est couvert d'une écorce cristallisée qui lui donne des reflets bleutés, tantôt brillants et tantôt mats. Peintes en noir, ses branches et ses tiges sont invisibles, comme avalées par la nuit, pour mieux laisser scintiller les ronds clairs des lunaires qui lui servent de feuillage. Une poignée d'entre eux est tombée sur le sol, dessinant la tache d'une ombre claire, une ombre inversée, promesse de renouveau dans le grand cycle de la nature.

L'espace est habité de musique aussi : l'entrelacs des voix très pures de trois chanteurs tissant leurs improvisations sonores sur fond de nuit et de paysage fantomatique suggérant un condensé de monde.

Mais voilà, là encore, que l'arbre semble bien trop grand pour avoir pu entrer dans la pièce. Aurait-il poussé dans la chambre même ? L'espace dilaté se déploie hors limites pour mieux immerger le voyageur-visiteur dans son monde parallèle. Tout est fait pour susciter un sentiment de mystère, presque de magie. Contrairement aux artistes qui tiennent à montrer « comment c'est fait », Stéphane Guiran préfère, dissimulant toute technique et machinerie, jouer les prestidigitateurs malicieux. Le choix de montrer ou de cacher n'est-il pas, lui aussi, porteur d'un enjeu artistique ? Tout est signifiant ! Ici les sources lumineuses invisibles diffusent la lumière blanche de leurs LEDS, pâle comme la clarté lunaire. Et pas d'ombres portées au sol, le voyageur se découvre homme ou femme sans ombre. De même les miroirs du parcours ne lui renvoient aucun reflet. Sensation étrange de dématérialisation ou de décorporation qui renforce le sentiment d'entrer dans le domaine du rêve !

Il y a des marques de violence sur le tronc de l'arbre, mais une pointe de jeu aussi avec ses illusions et trompe-l'œil. Il y a la dureté du métal mais aussi la fragilité extrême des lunaires fins comme du papier et prêts à tomber en poussière au moindre frottement. Il y a la force du récit conté par le voyage et ses sept étapes, comme aussi celle des symboles : tels ces lunaires, dont le nom populaire de monnaies-du-pape pourrait évoquer des hosties pour, tout au bout du voyage, monnayer le salut des âmes. Et il y a ce désir de « sculpter avec la nature » qui renvoie au principe japonais du wabi sabi que l'artiste aime à invoquer et qui, sur un plan tant spirituel qu'esthétique, implique un retour à la simplicité naturelle et au goût de la beauté des choses imparfaites, éphémères et modestes.

Tombée en disgrâce au XXe siècle où les avant-gardes la considéraient dépassée, la narration est revenue en force dans le champ de l'art contemporain à partir du tournant du XXIe. Stéphane Guiran l'adopte avec une gourmandise de conteur fabuliste. A l'image d'un Olafur Eliasson ou d'un Tomas Saraceno dont il admire les œuvres – le premier pour ses expérimentations savantes et spectaculaires qui convoquent tous les sens à la fois et le second pour ses subtiles paraboles de monde dont les araignées sont souvent les fascinantes bâtisseuses –, il conjugue étroitement nature et technologie pour raconter ses histoires du temps présent.

Mais contrairement à eux qui se tiennent au croisement de l'art, de l'architecture, de la science et de l'écologie, il n'y a chez lui ni militantisme ni recherches menées avec des biologistes, des physiciens, des astrophysiciens ou des architectes, mais bien une attention empathique et intuitive portée aux mille vies de la nature pour en découvrir et en partager l'inépuisable émerveillement.

F J

*La première fois que j'ai entendu chanter la mer
c'était en pleine forêt.*

Les mers rêvent encore, page 21

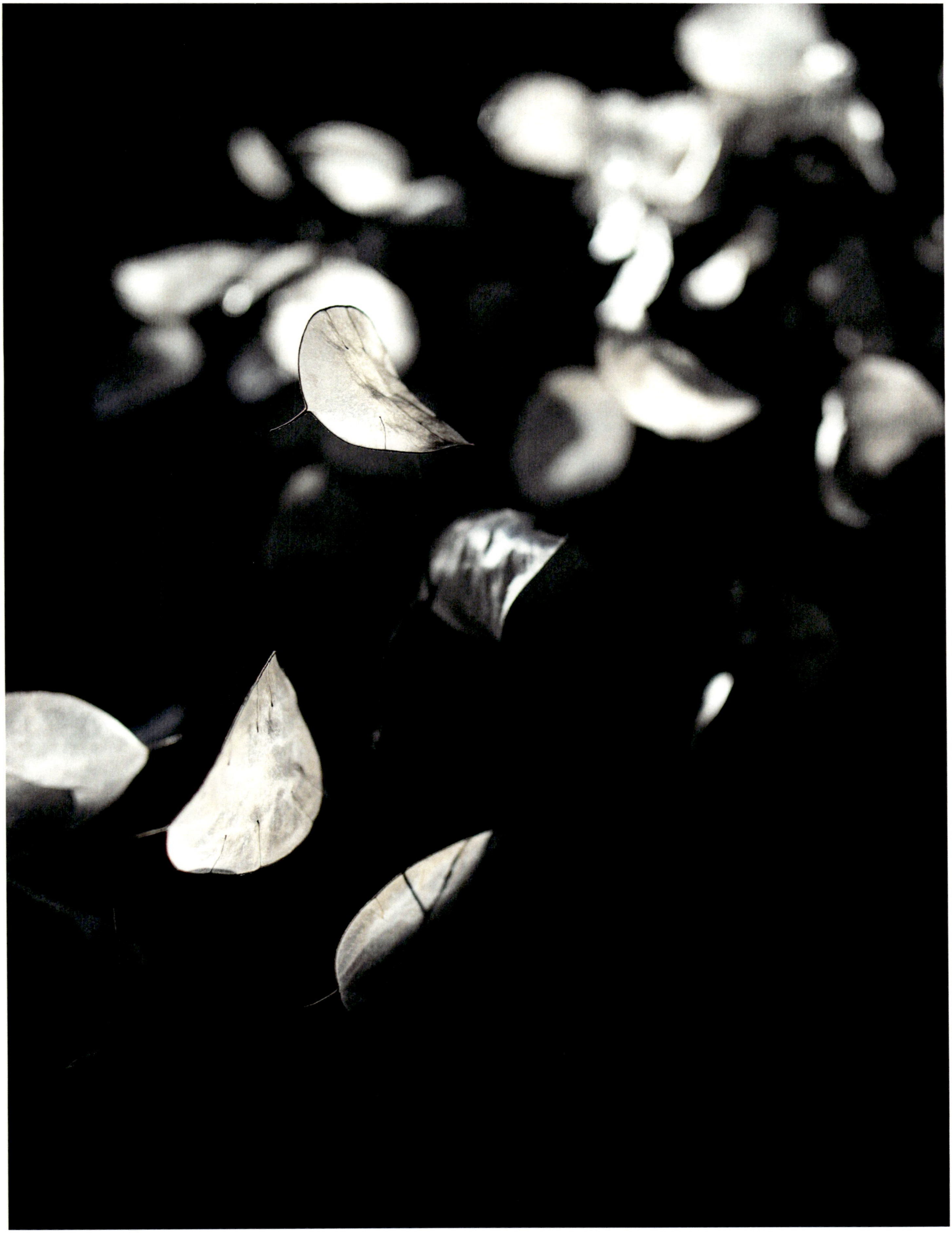

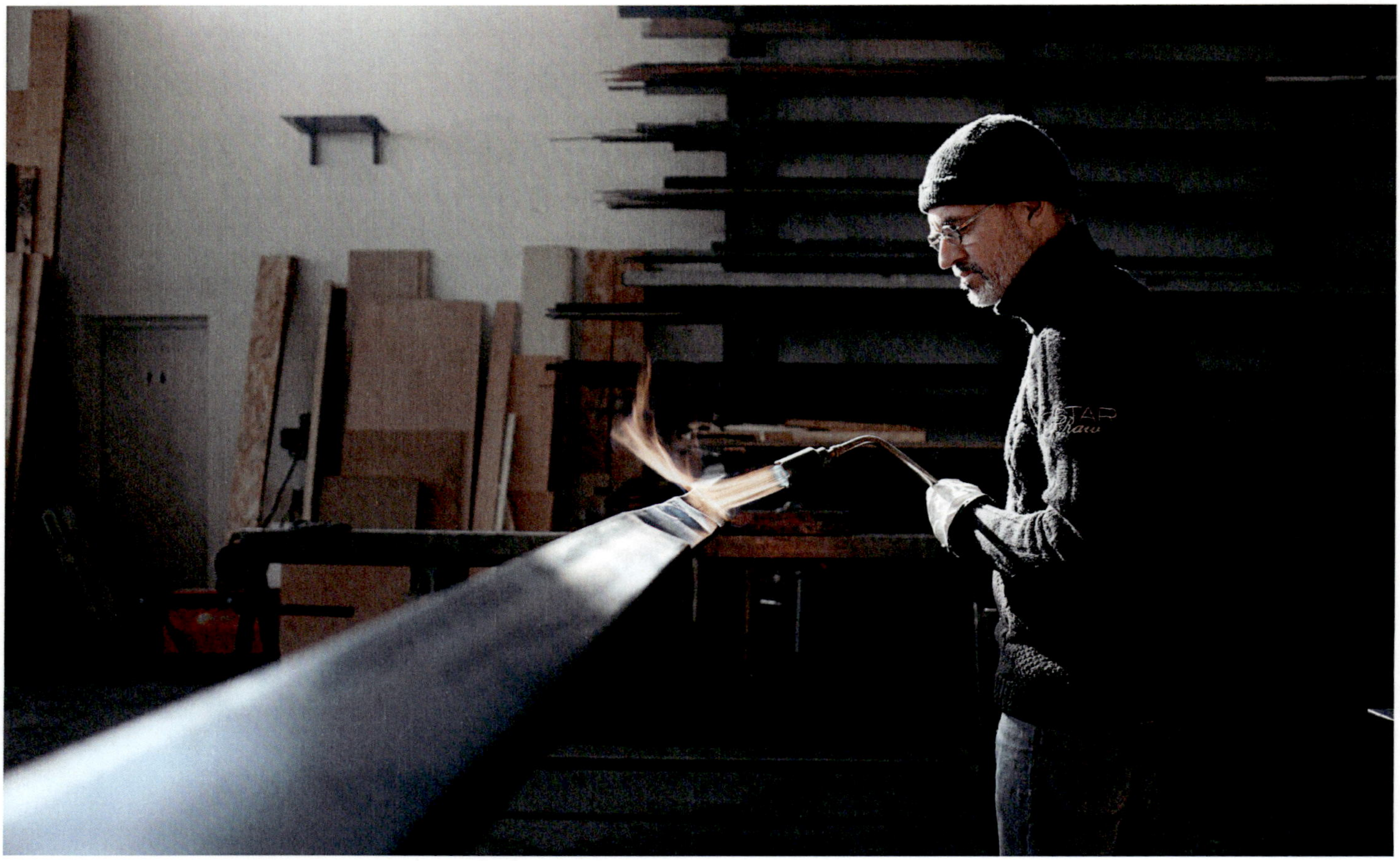

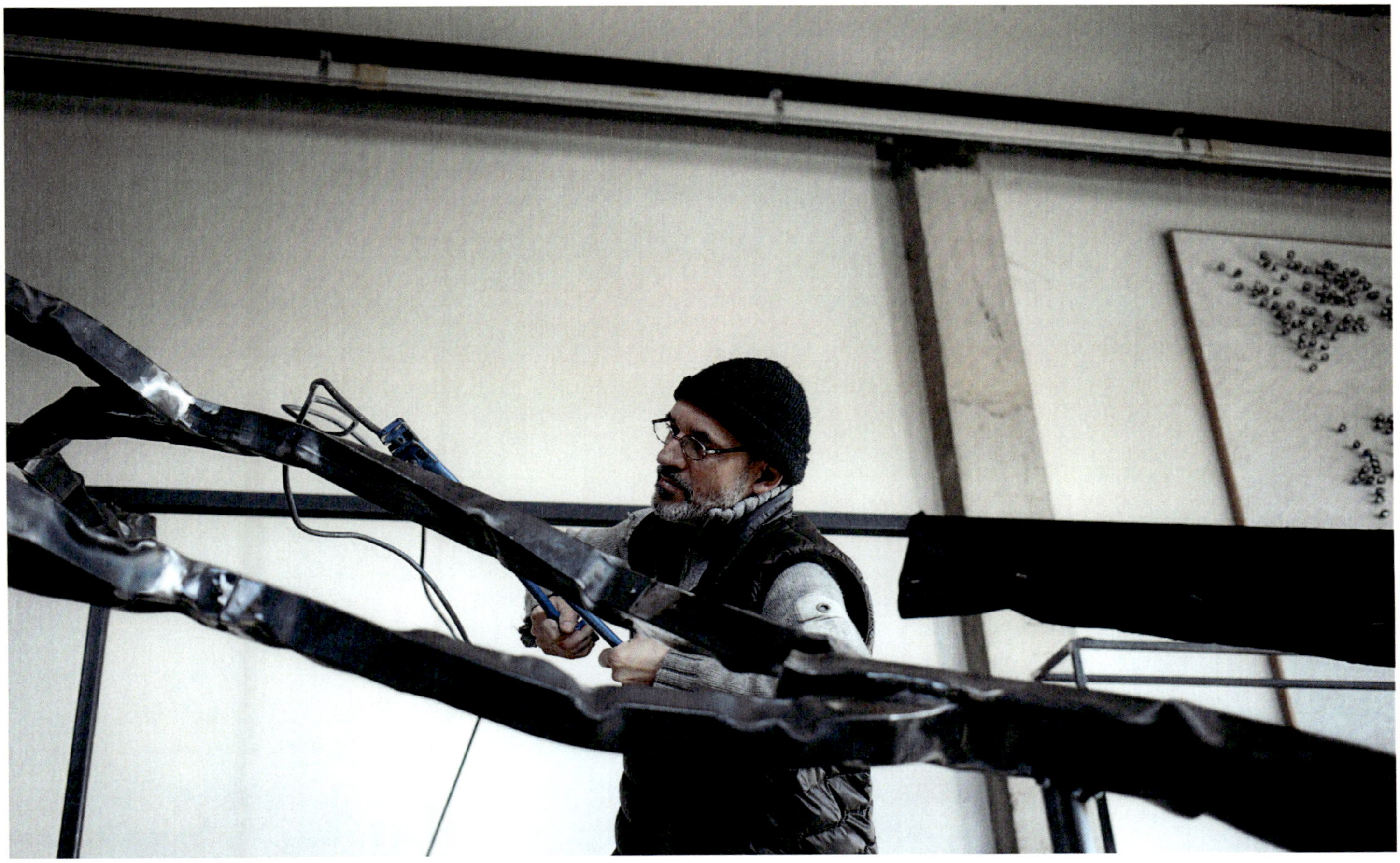

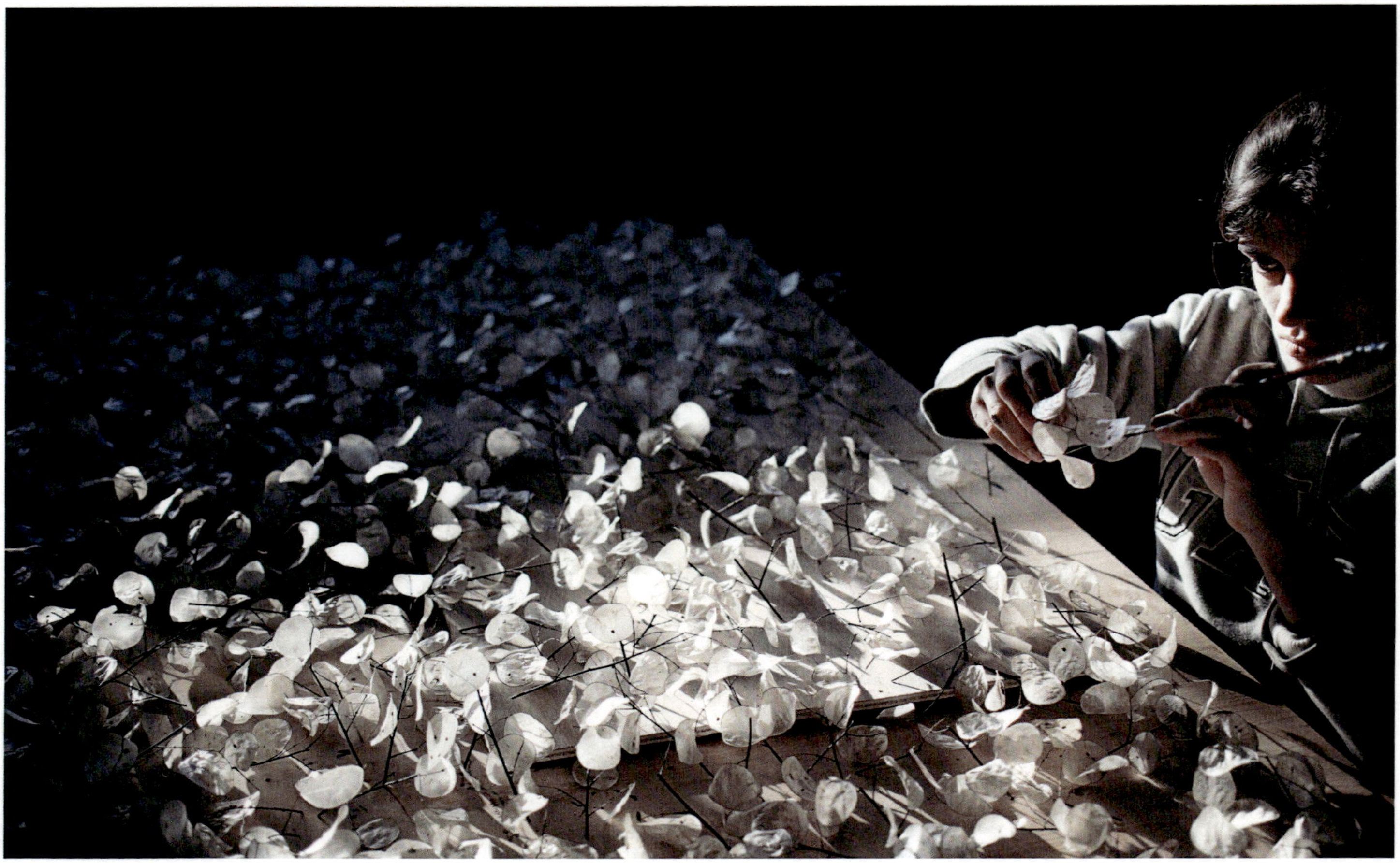

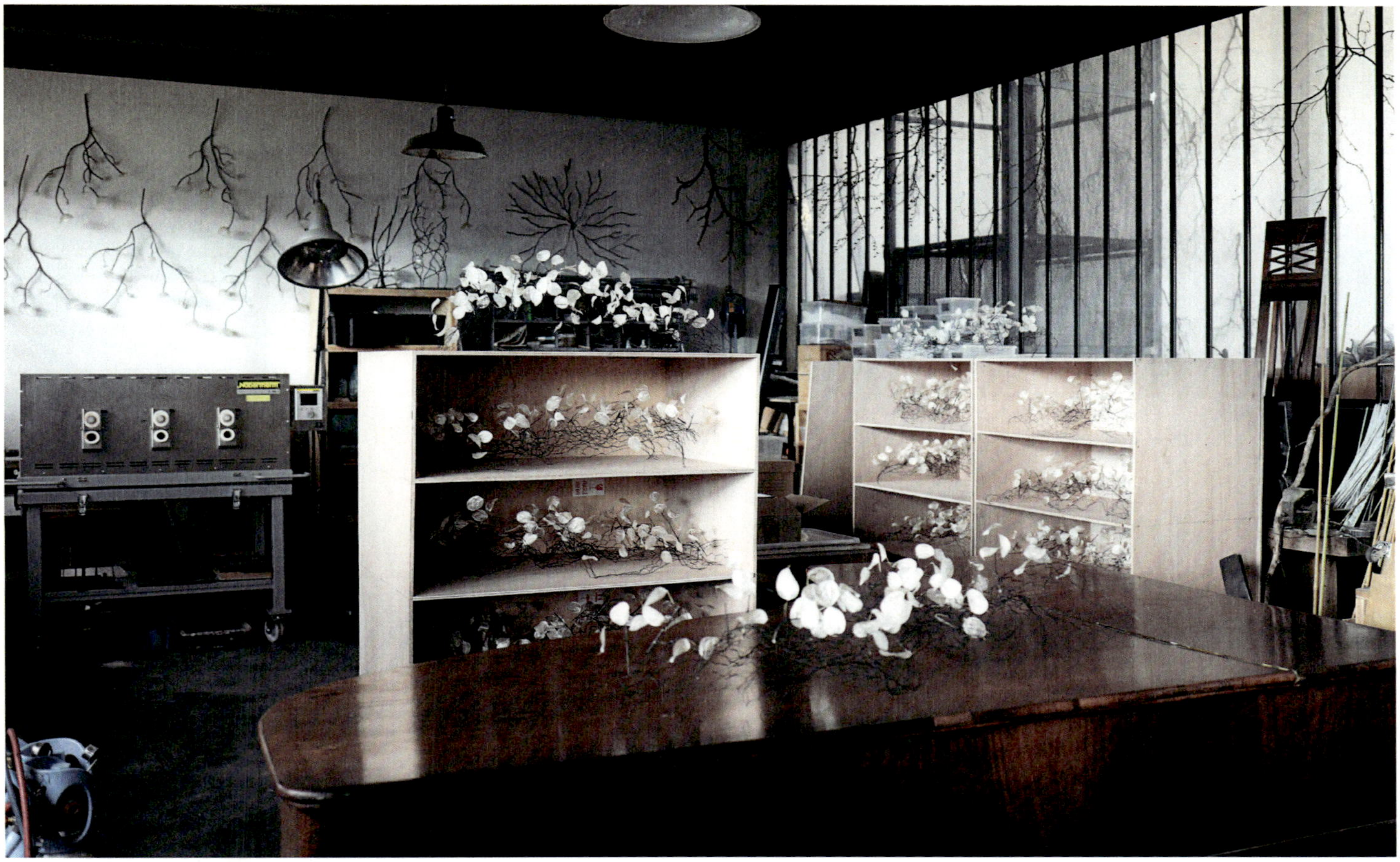

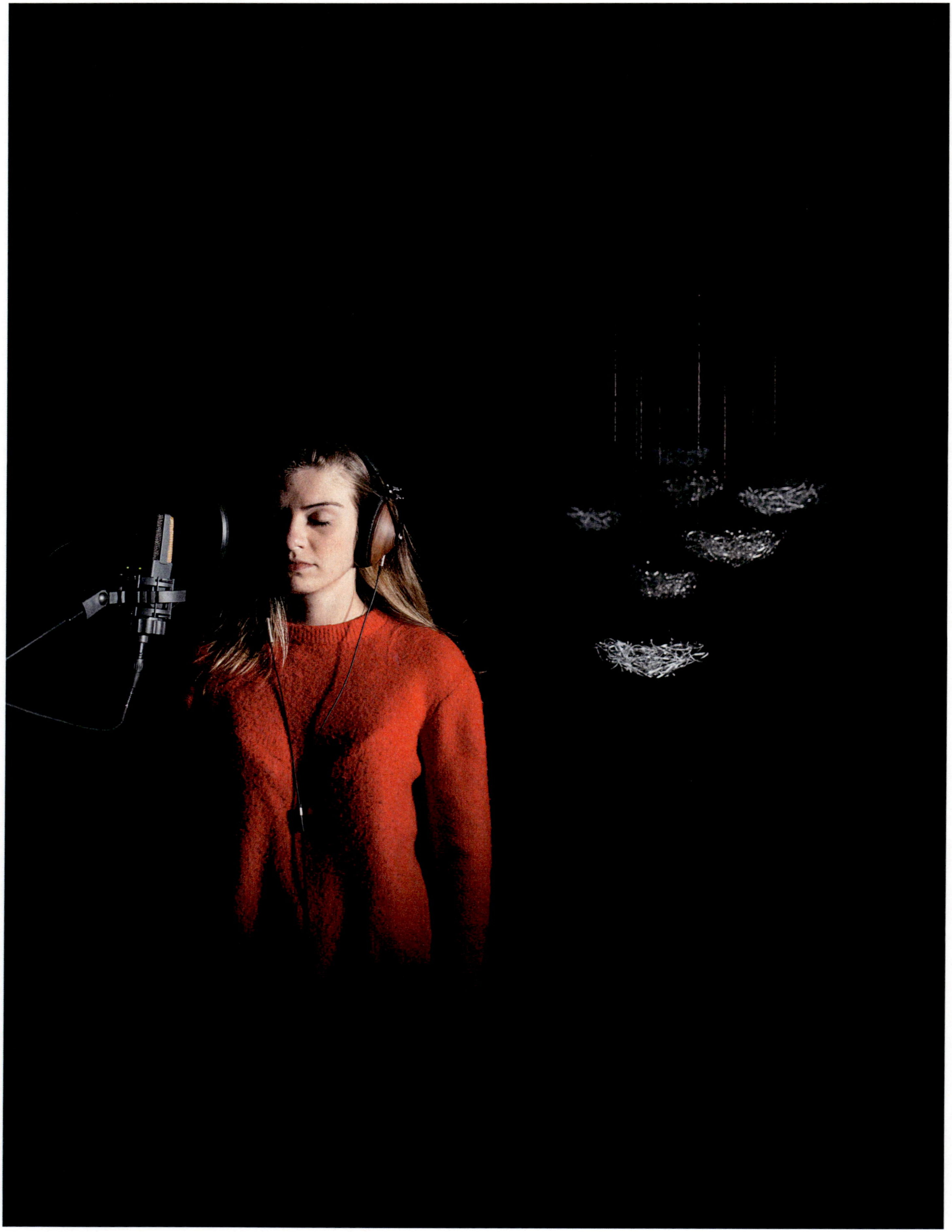

Les voix liées

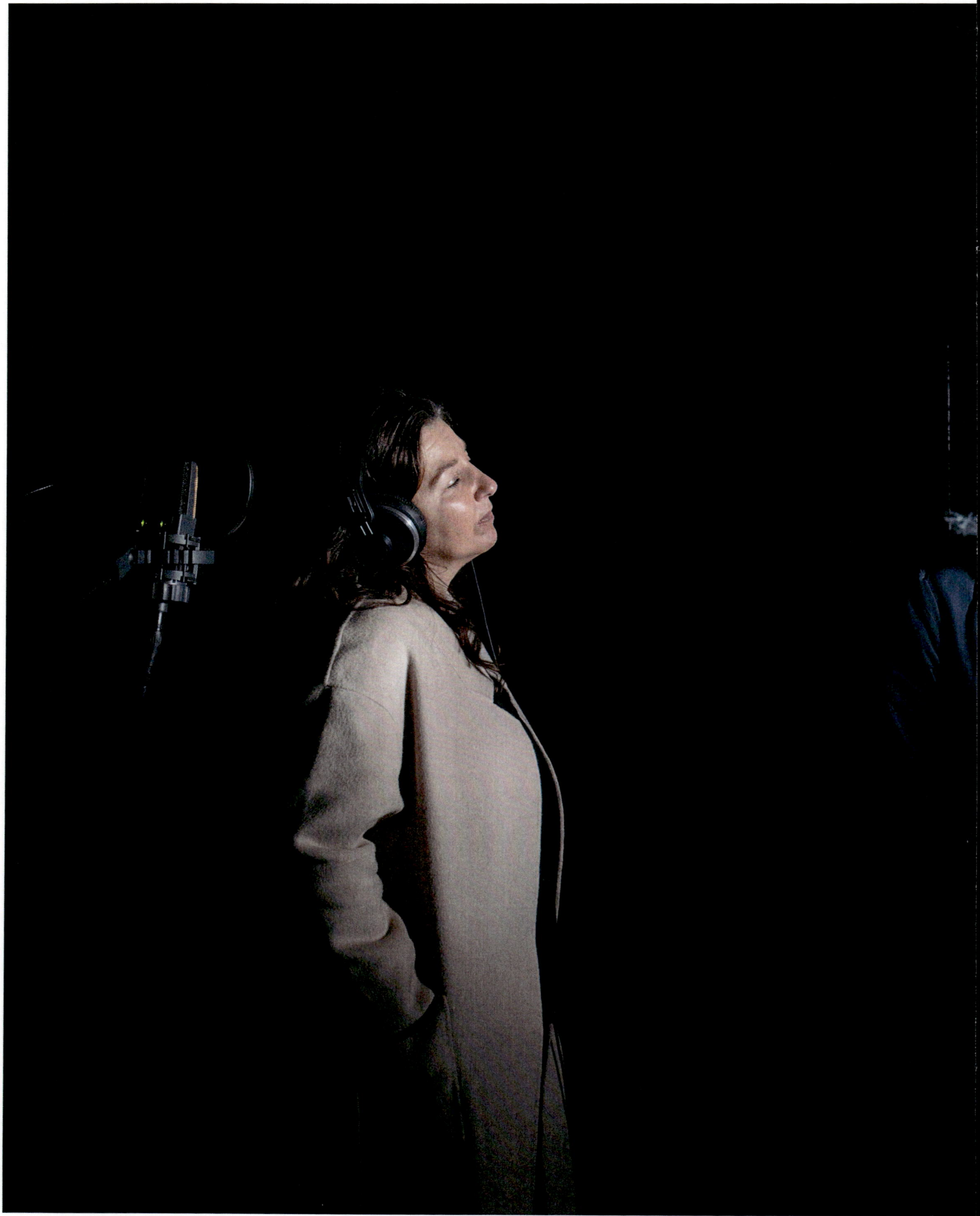

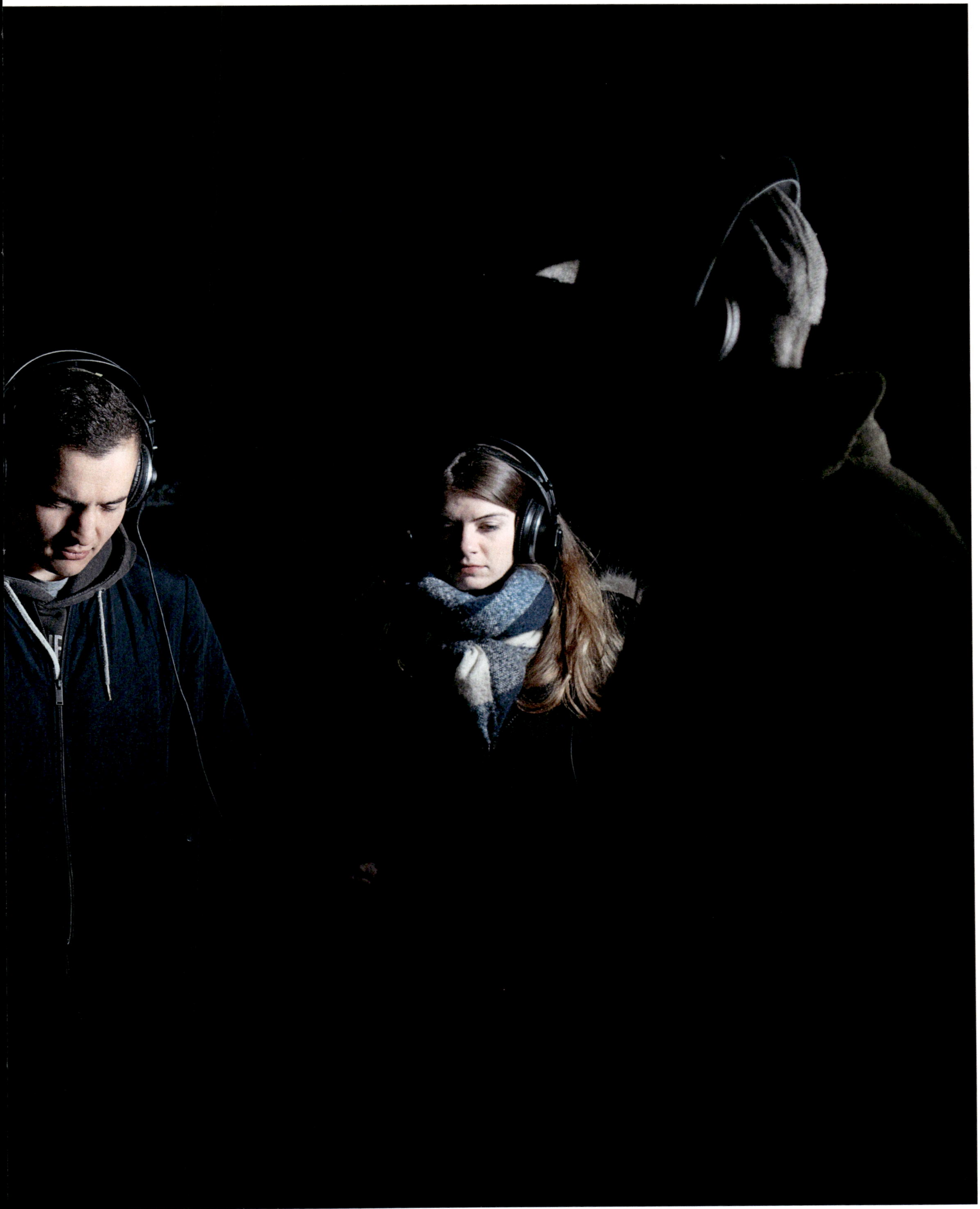

Nous soufflons le vent et offrons l'océan.
Quand l'être nous écoute l'instant devient route.
À tes côtés nous sommes inspiration donnée.
Par ta plume Voix Liées. Expérience d'humanité.

Les mers rêvent encore, page 67

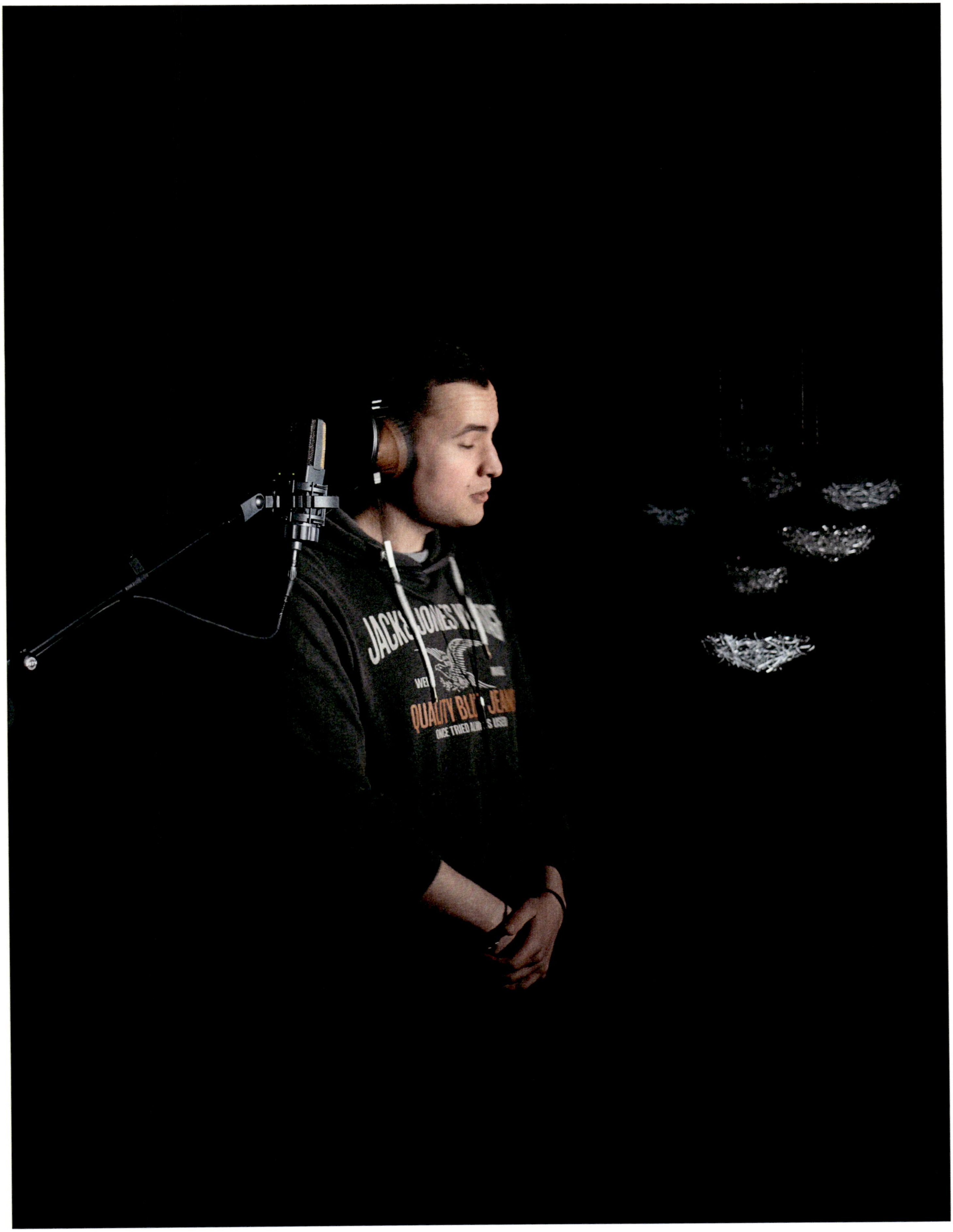

Les voix liées :
création 2020.

Pièce sonore, durée 10 min 18 s.

3 improvisations a cappella
sur l'écoute d'une même bande sonore.
Les 3 improvisations ont été
mixées en une seule pièce sonore.

Les chanteurs :
Mehdi Hennad
Isabelle Higelin
Virginie Fiorello

Captation : Fabien Gilles

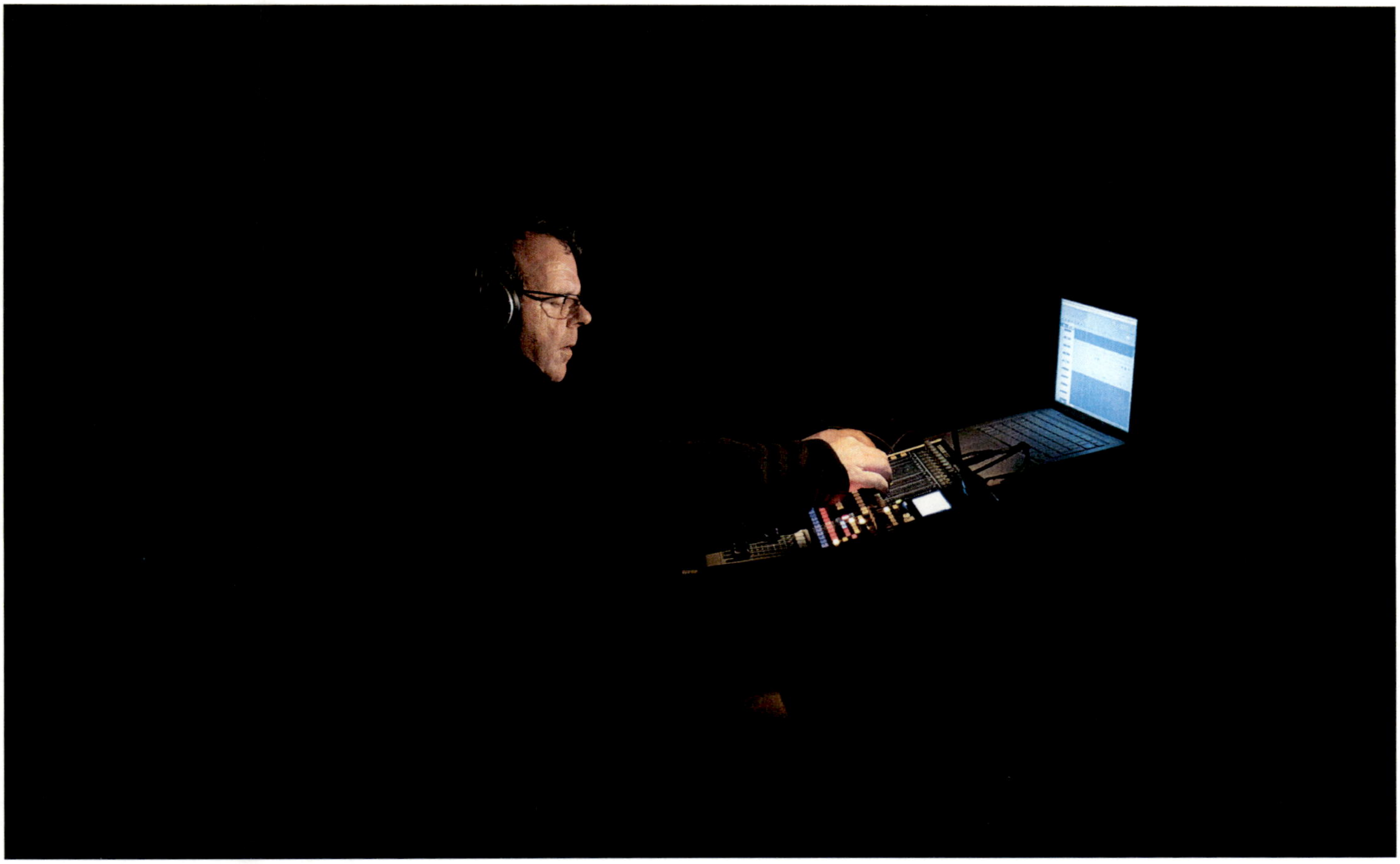

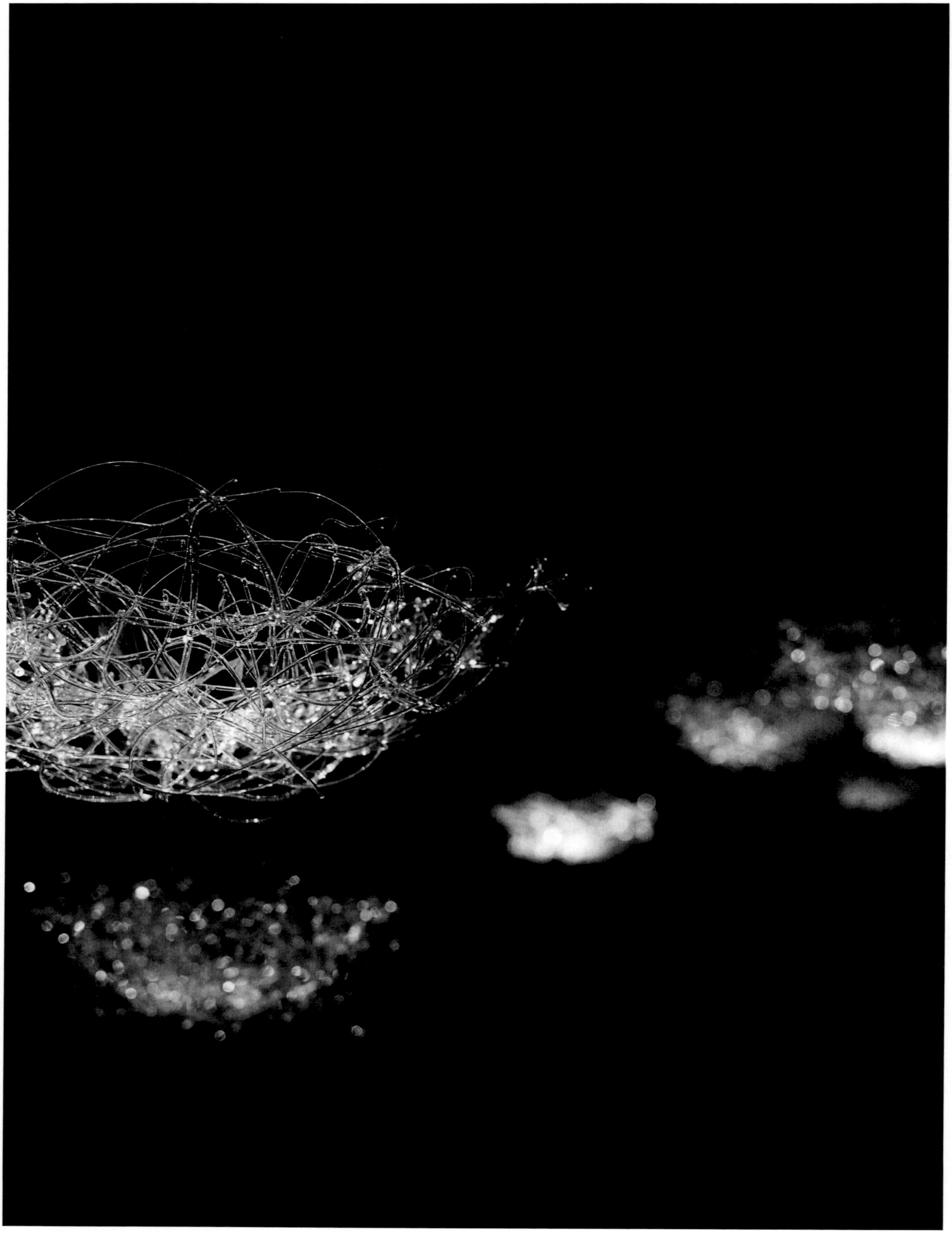

Les enfants des nuages

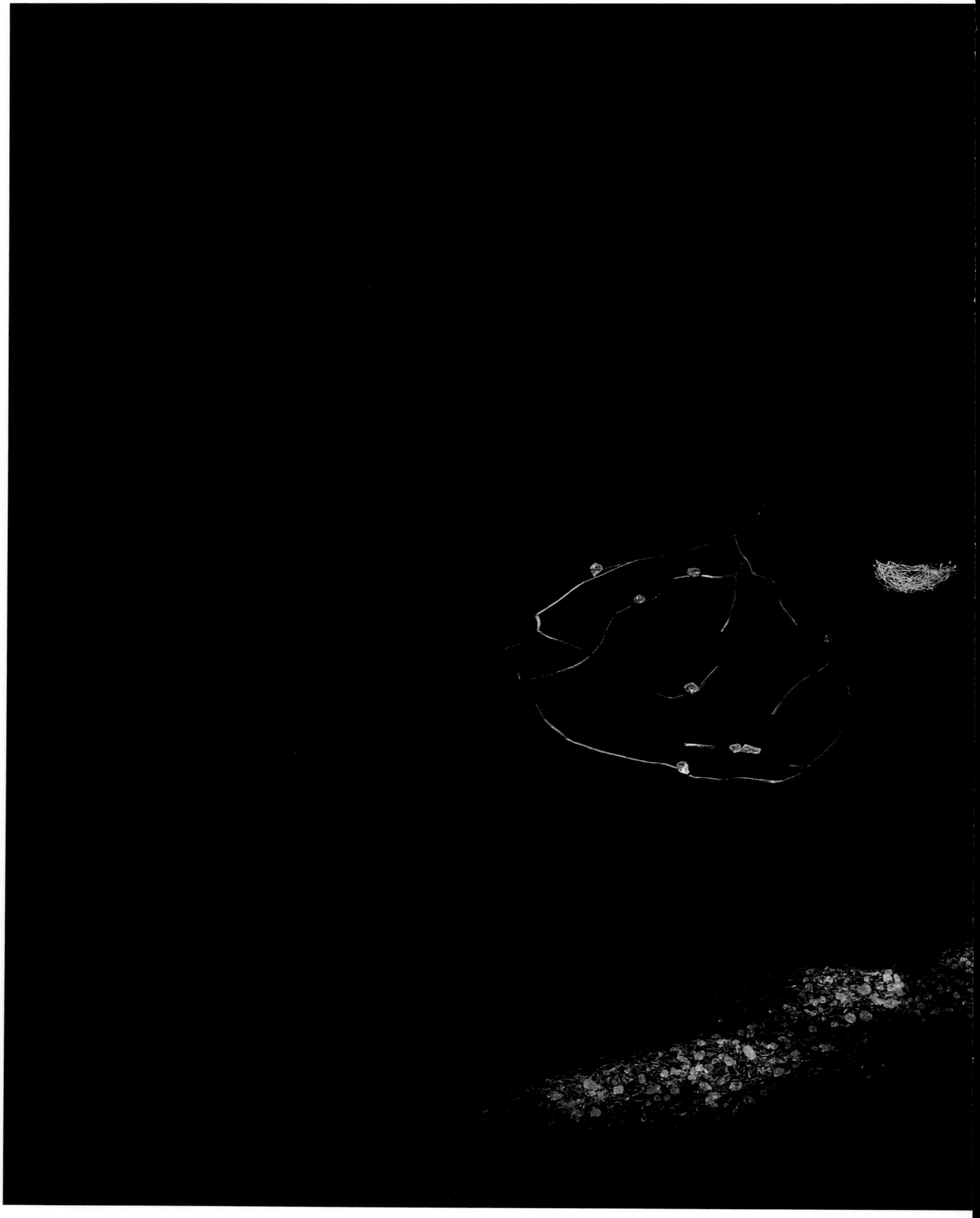

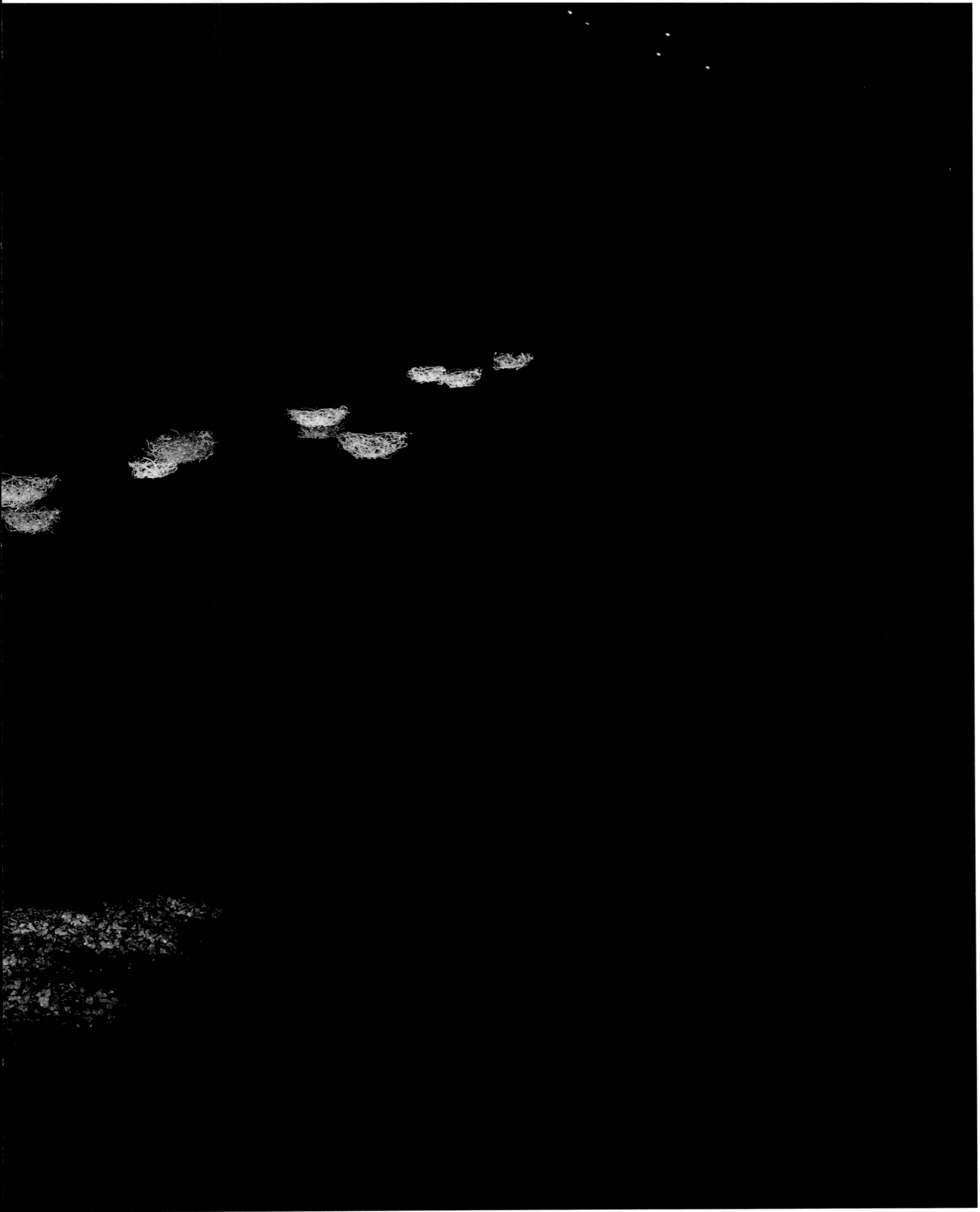

Les nuages sont nids où grandit la vie.
[...]
Les enfants des nuages savent que la Terre qu'ils laissent un jour est celle qu'ils retrouveront demain. C'est pour cela qu'ils la protègent avec amour.

Les mers rêvent encore, page 36

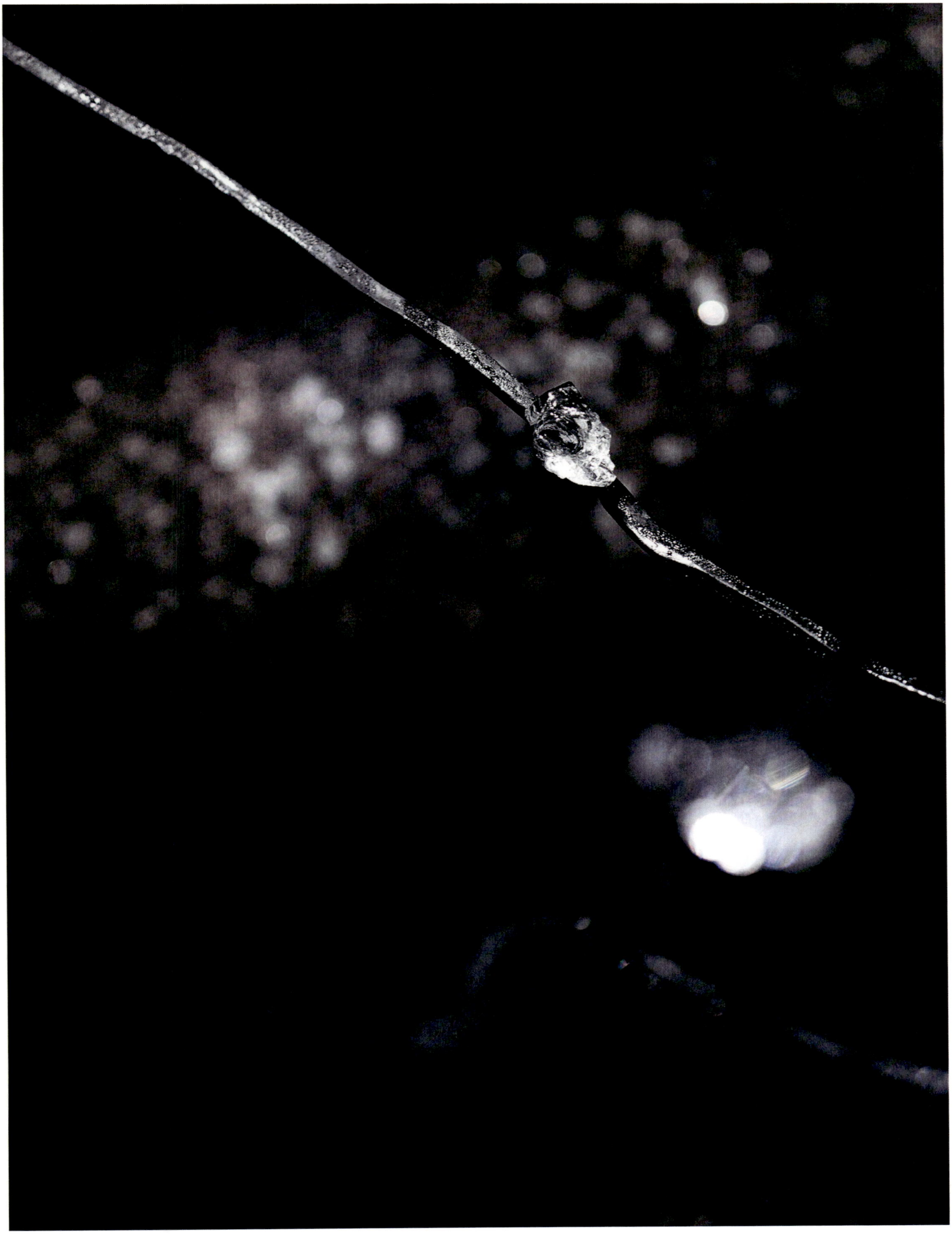

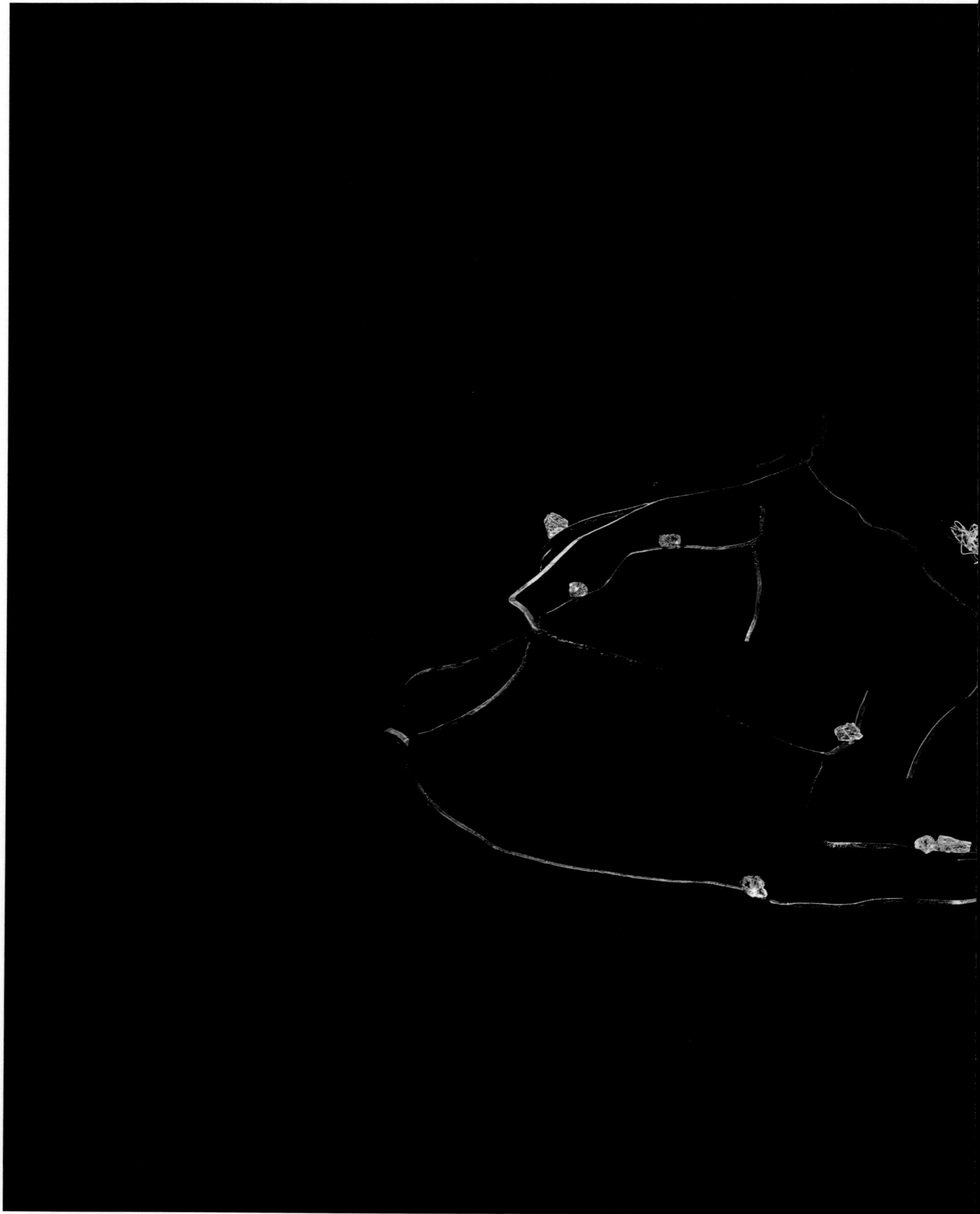

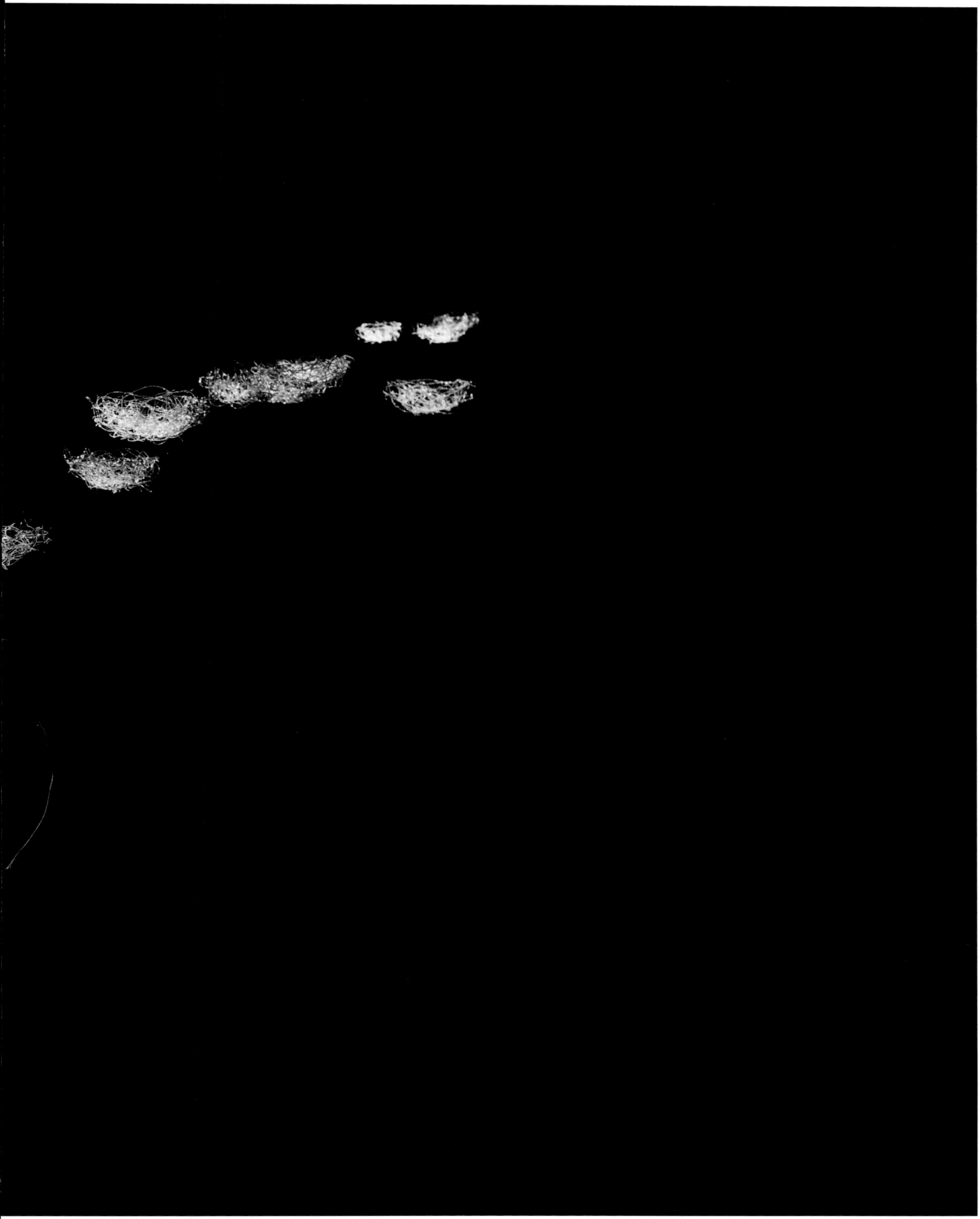

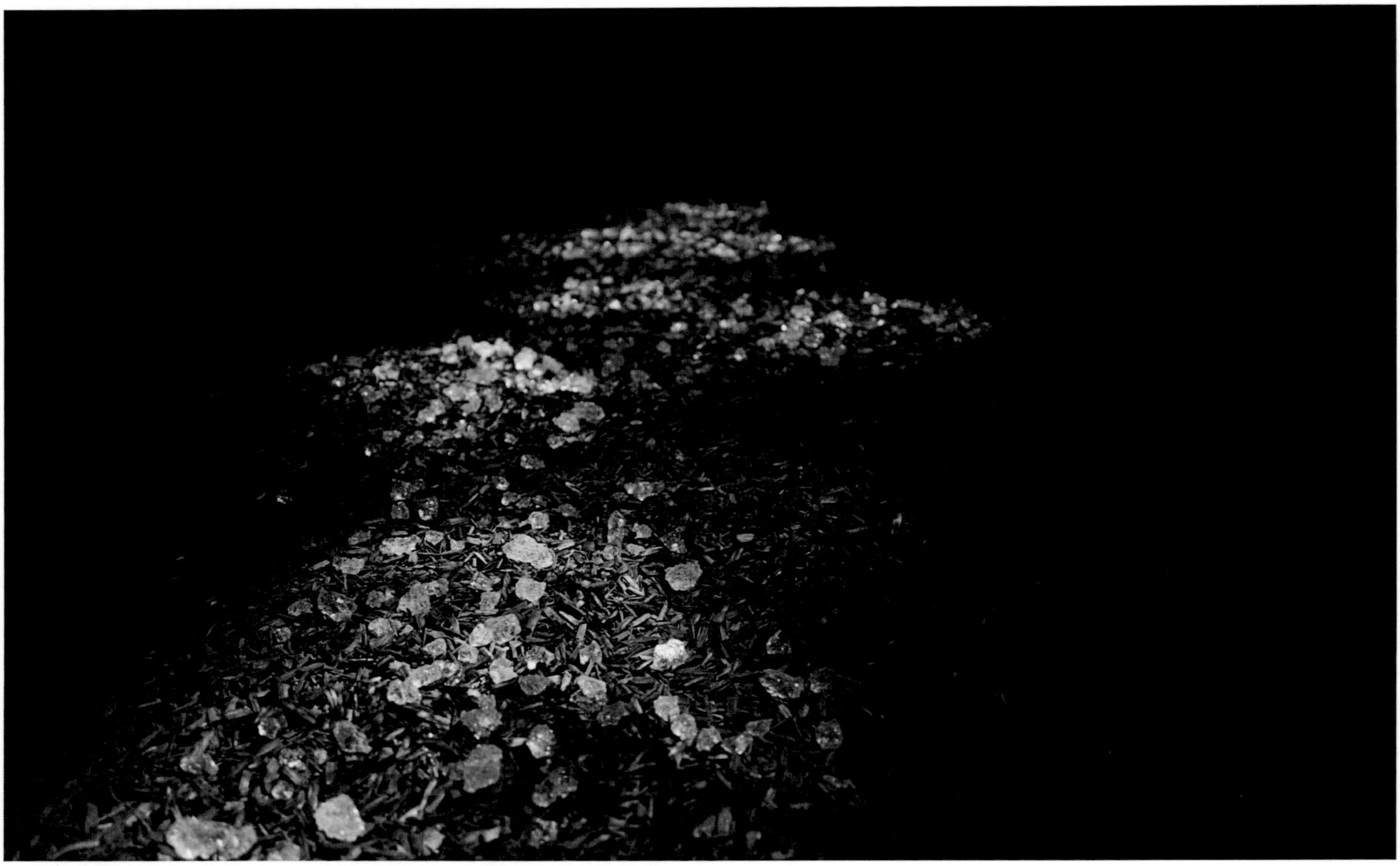

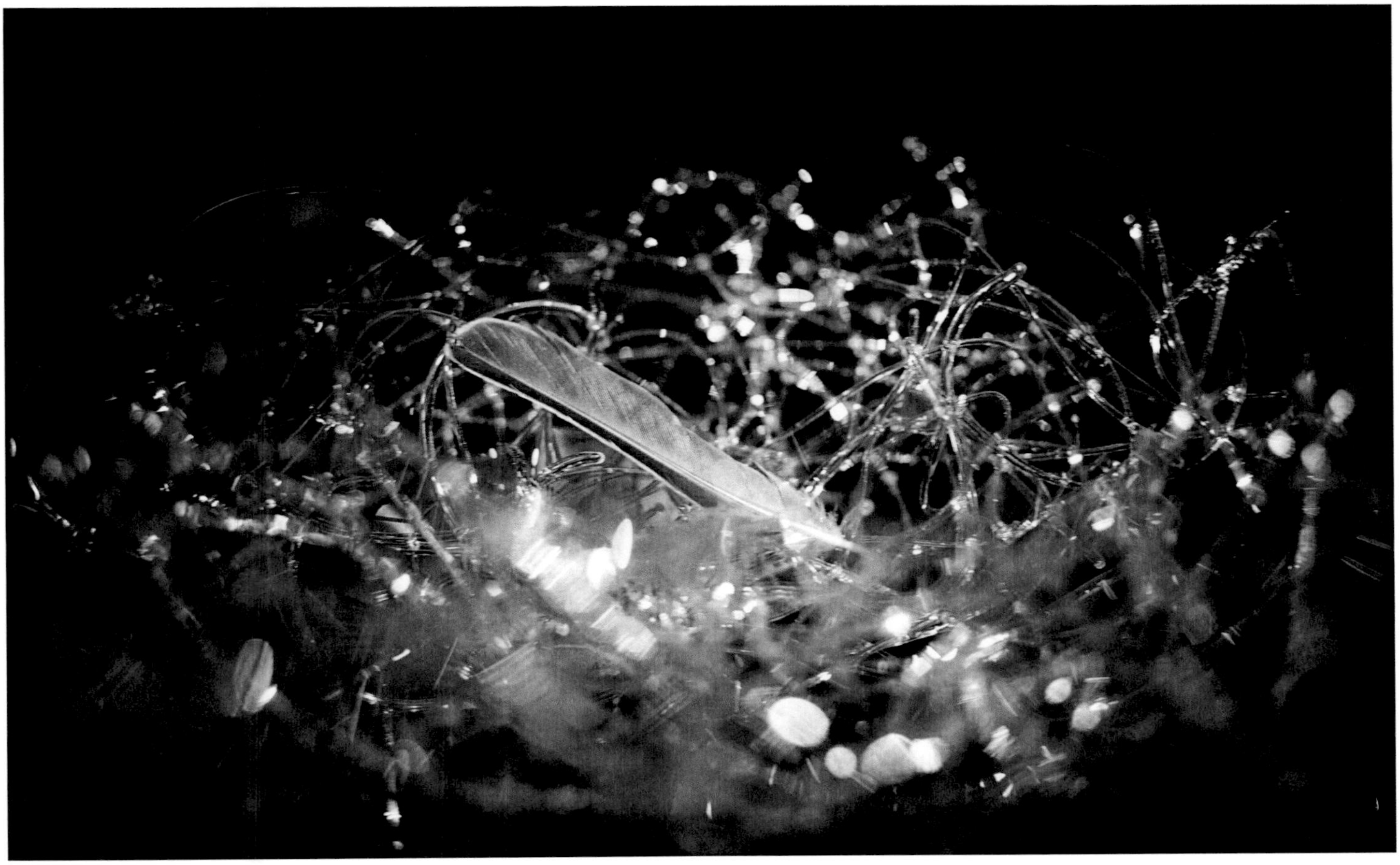

Les enfants des nuages :
création 2020.

12 nids en verre, plumes, sculpture en acier cristallisé, calcin de cristal, paillage, vent et pièce sonore de vent.

Dimensions :
1,5 m x 3,5 m. Hauteur 2 m.

De matière, presque pas. De pesanteur, aucune. De grands gestes et de grands effets, non plus. Le forgeron qui soumettait l'acier et façonnait des pièces géantes s'est mué en orfèvre miniaturiste. En même temps – paradoxalement – qu'en élargisseur et dilatateur d'espace. La lumière, le vide et l'apesanteur sont ses matériaux premiers ; le rêve son territoire de prédilection ; l'impermanence son temps de référence. Dans la pénombre rêveuse, il a gribouillé ses visions avec des fils de verre qu'un éclairage subtil rend presque fluorescents.

Tout ici est si léger, si éthéré, si gracile qu'on en retient presque son souffle, de peur que l'apparition ne s'évanouisse.

Pour le voyageur nocturne, il est temps maintenant d'aller retrouver l'enfant qui est en lui. Les nids que notre ciseleur de lumière a dessinés dans la pénombre renvoient à l'idée de naissance, mais en appellent aussi à une forme de re-naissance. Ils sont là, comme des berceaux suspendus qui se balancent doucement, griffonnements ténus pour un ballet aérien.

Mais sont-ils nids ou nuages ? Des nuages qui se font nids ou des nids flottant comme des nuages ? Sont-ils condensation de gouttelettes de lumière en suspension prêtes à féconder la terre ? Ou rampes de lancement pour des envols délivrés de toute attache terrestre pour aller accueillir d'autres vies ailleurs ? Si nids et nuages sont tous deux symboles de fertilité, ils partagent aussi un même rôle protecteur : les premiers comme cocons ou abris pour des vies en devenir, les seconds comme parasols ou écrans pour notre planète menacée.

Des nids, oui mais pour quels oiseaux ? Des migrateurs forcément, partis pour des voyages lointains, abandonnant juste une plume ici ou là comme pour dire : je reviendrai.

Des nuages, oui mais pour quels enfants ? Nous tous qui garderons toujours une part d'enfance en nous.

Au sol, des débris de cristallerie épars sur un lit de paillage réveillent des souvenirs de monde industriel volé en éclat. Précieuse mémoire de gestes menacés de disparition. Mais qui continuent pourtant de nourrir l'humus de notre avenir.

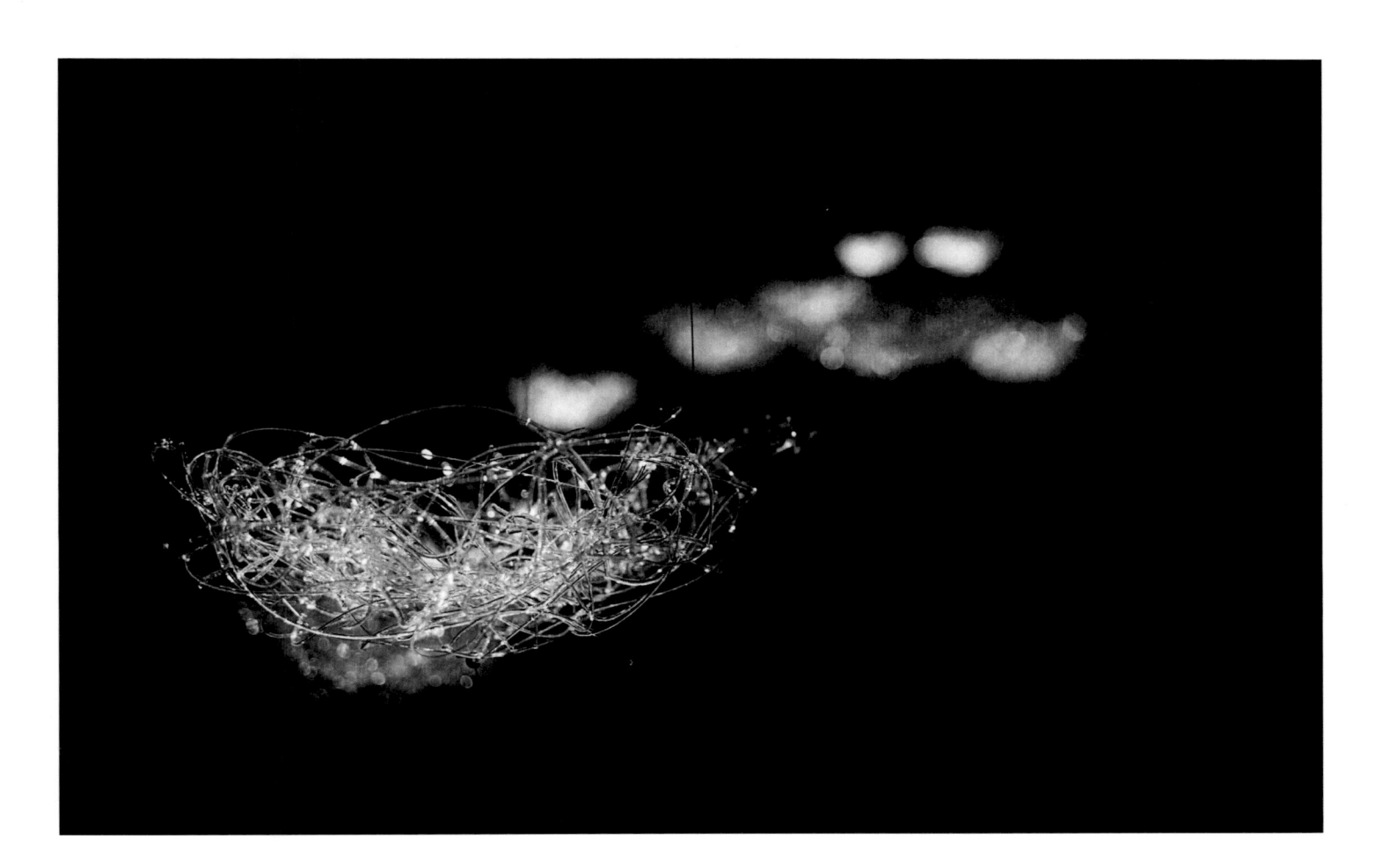

Pas de musique ici, sinon une pièce sonore diffusant un bruit de vent pour accompagner le souffle qui joue les alizés et qui berce les nids-nuages. Toute la sculpture entre alors en mouvement léger, respire et se fait matière vivante.

A partir du moment où peintres et sculpteurs n'ont plus voulu se limiter aux seuls outils et matériaux « nobles » et traditionnels de l'art classique, ils n'ont cessé, outre une diversité infinie de modes et moyens inédits, de s'emparer des techniques et des technologies nouvelles pour en faire de nouveaux médias artistiques. C'est ainsi que la lumière et le mouvement sont devenus matériaux d'expression créatrice à part entière : d'Alexander Calder ou Jesús Rafael Soto à Bill Viola côté mouvement, avec chez eux aussi et au-delà de la grande disparité des langages, un goût pour la lenteur et pour des déplacements tout en finesse poétique et méditative. Ou de James Turrell ou Julio Le Parc à Ann Veronica Janssens ou Anthony McCall côté lumière, dont les environnements suscitent une forme de magnétisme et d'envoûtement immersif.

Pour lui comme pour eux, il n'est plus question d'être devant l'œuvre, mais bien dedans. Elle ne s'offre pas comme un objet à contempler, mais comme une expérience à vivre, où le mouvement transforme le temps, et la lumière l'espace. Et pour celui qui la crée comme pour celui qui la vit, elle augmente le sentiment de vivre.

F J

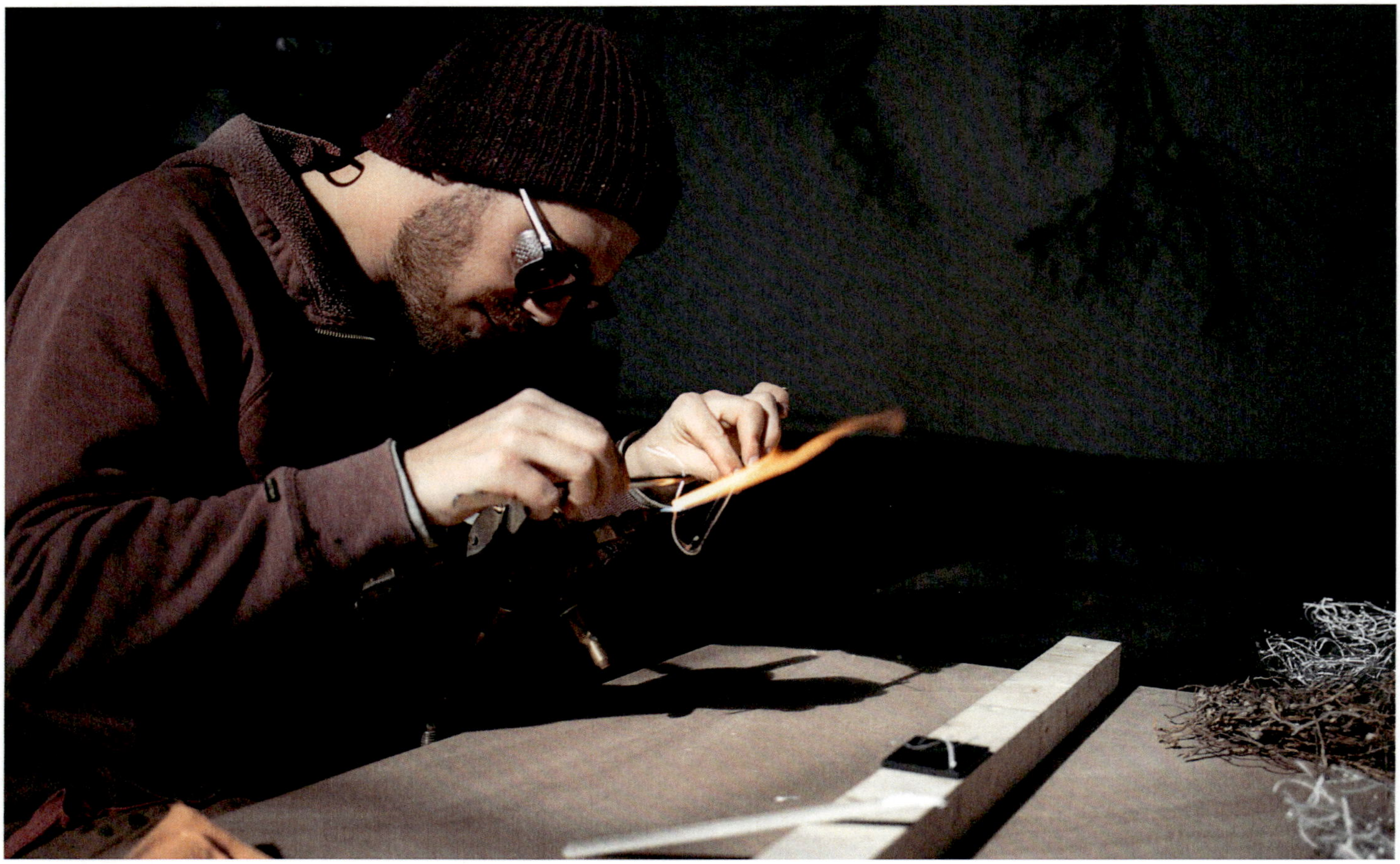

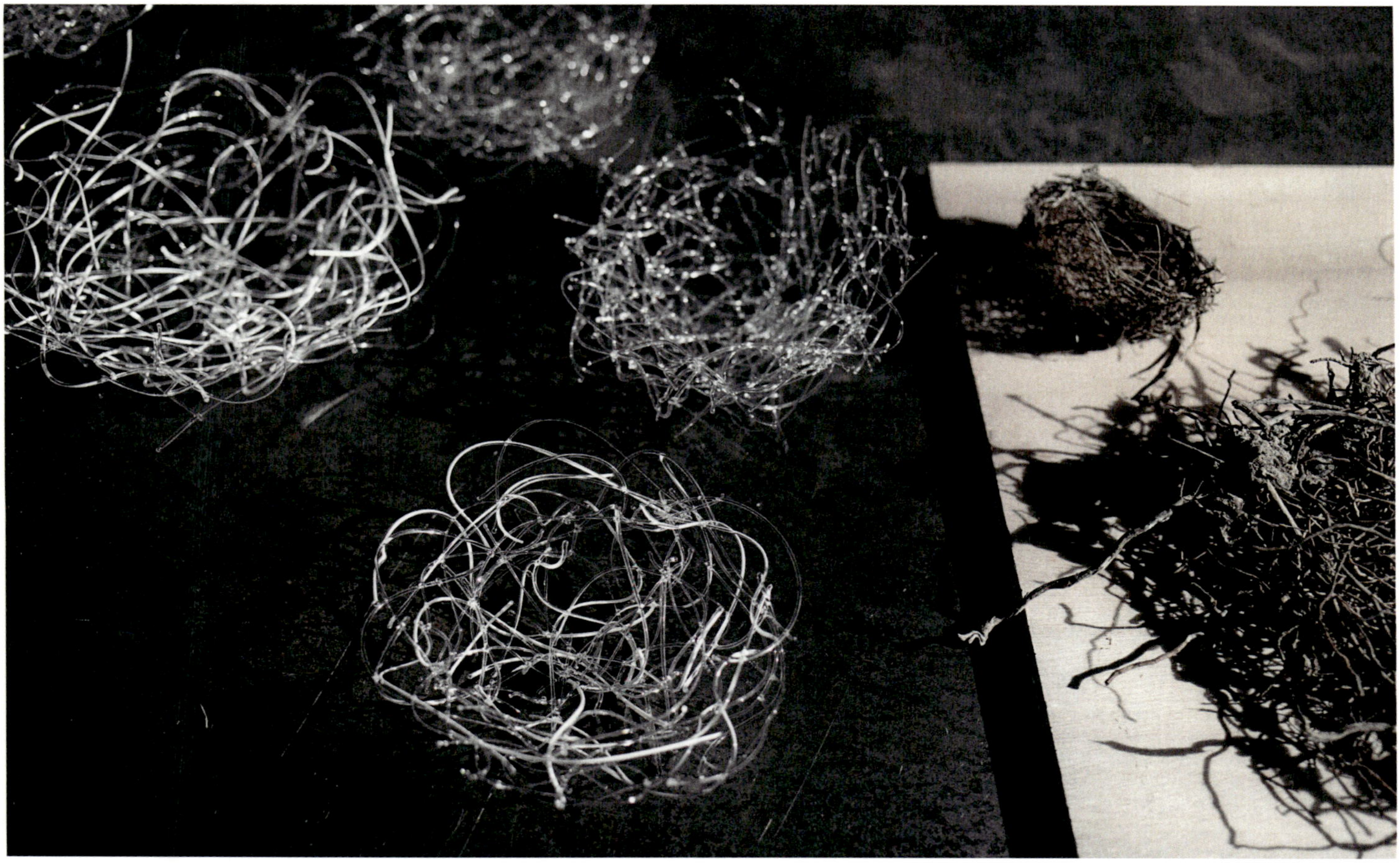

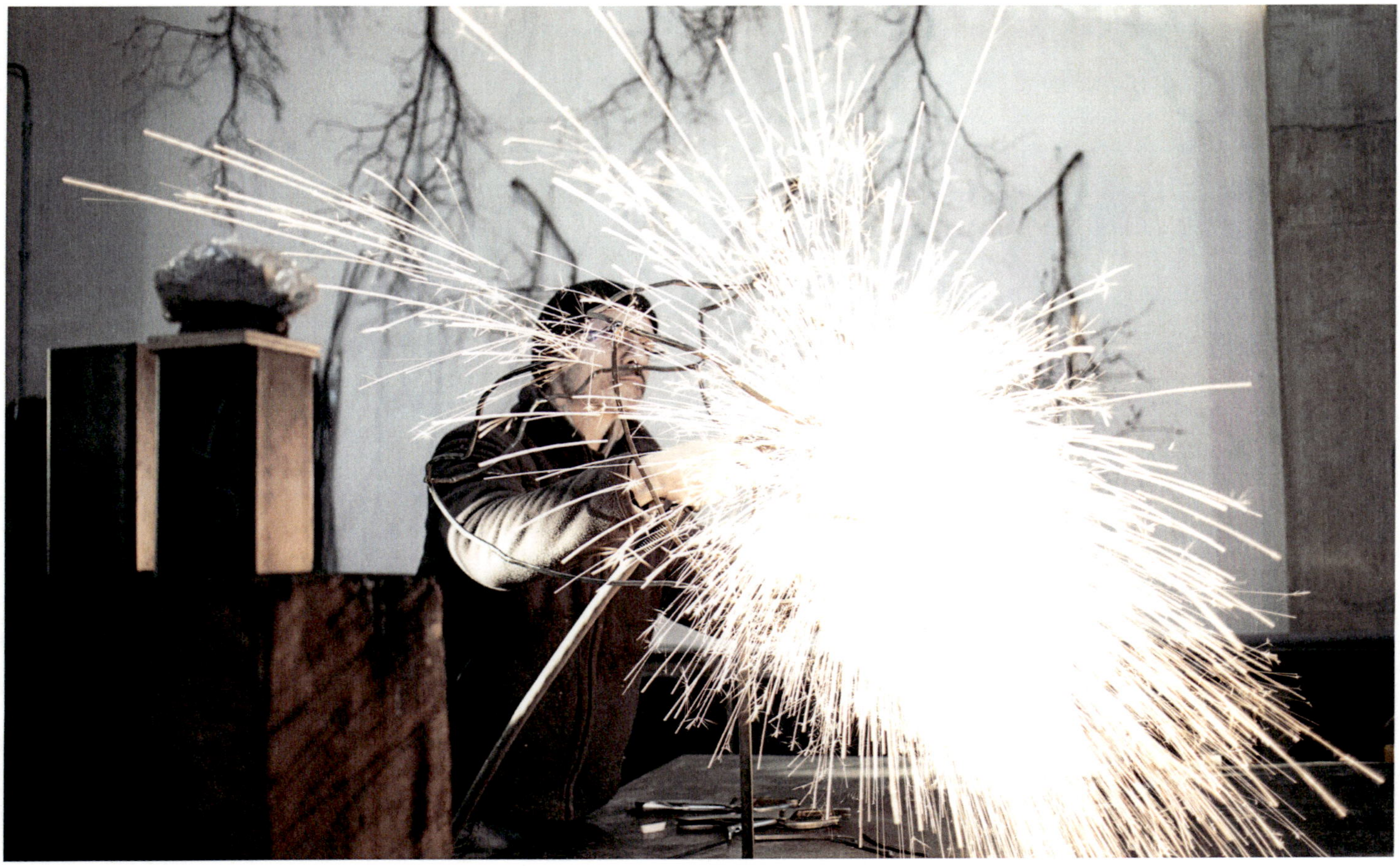

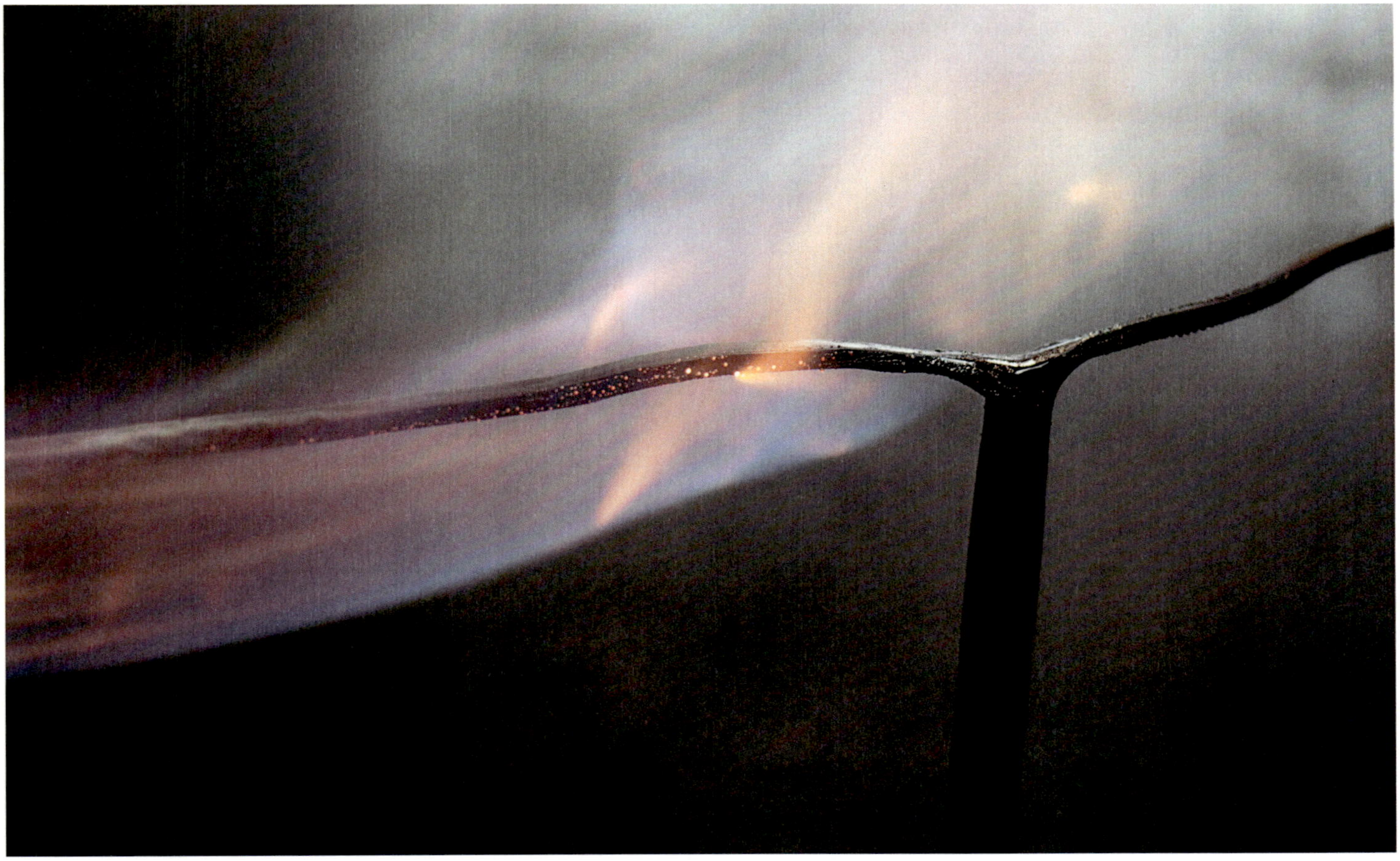

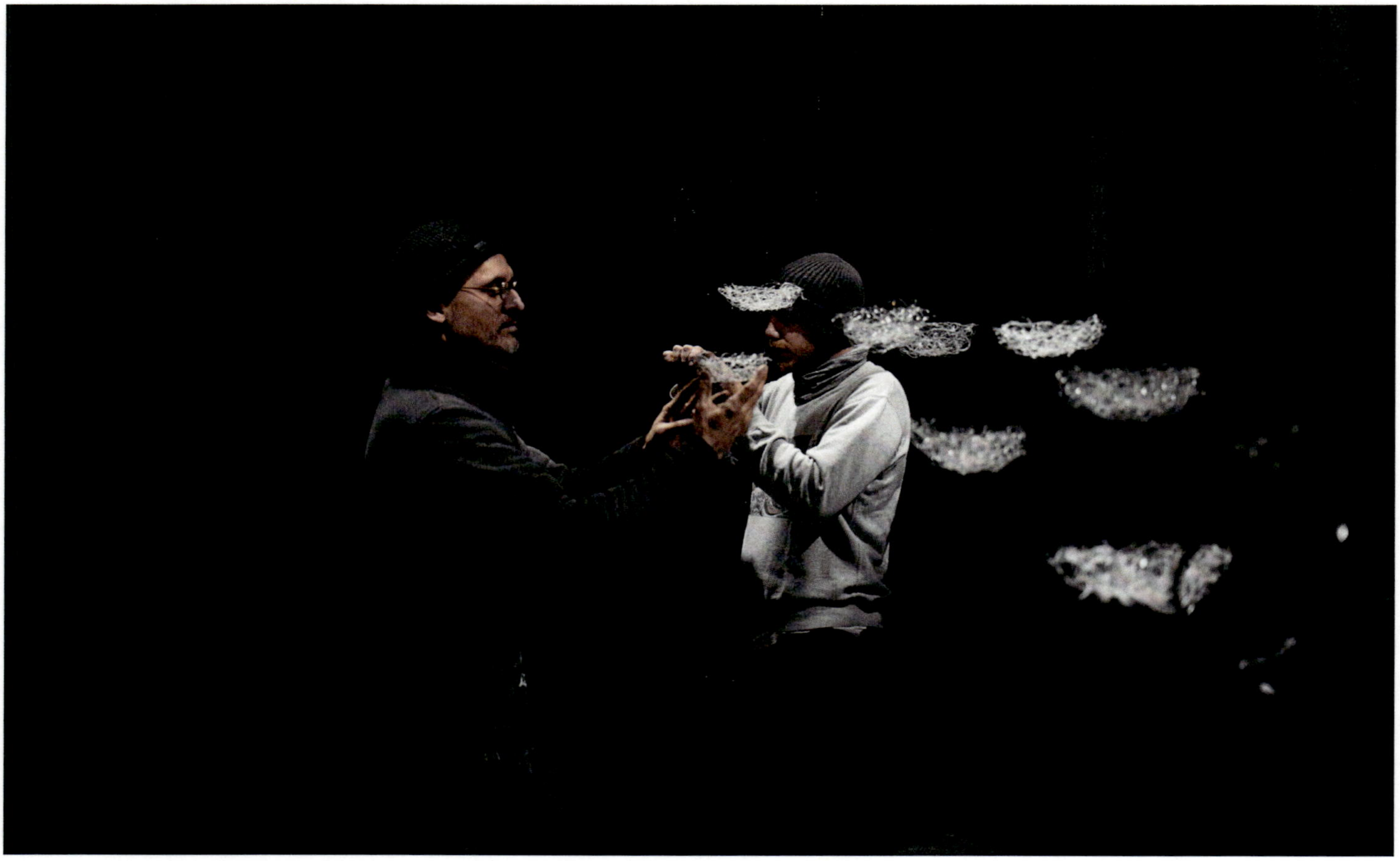

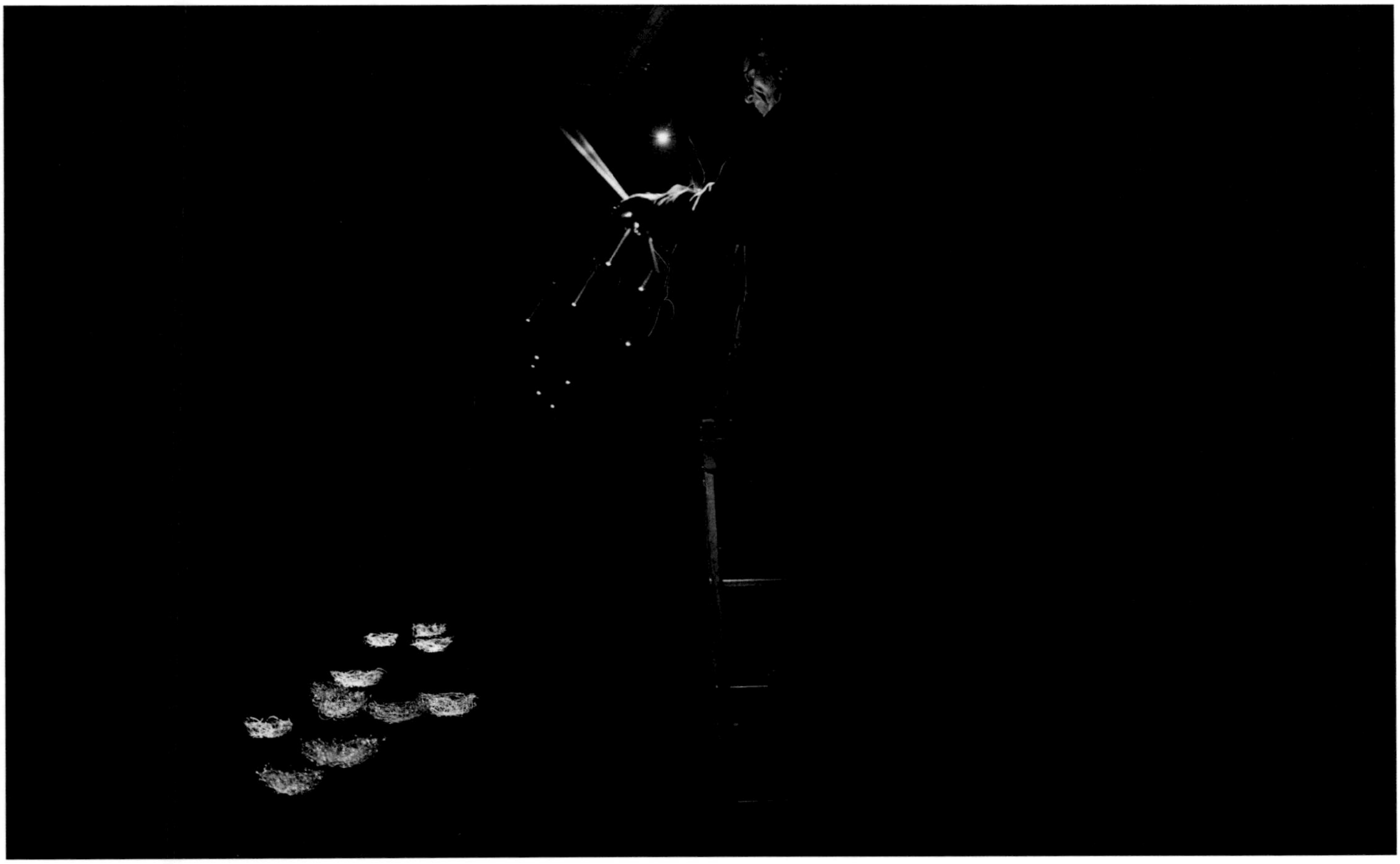

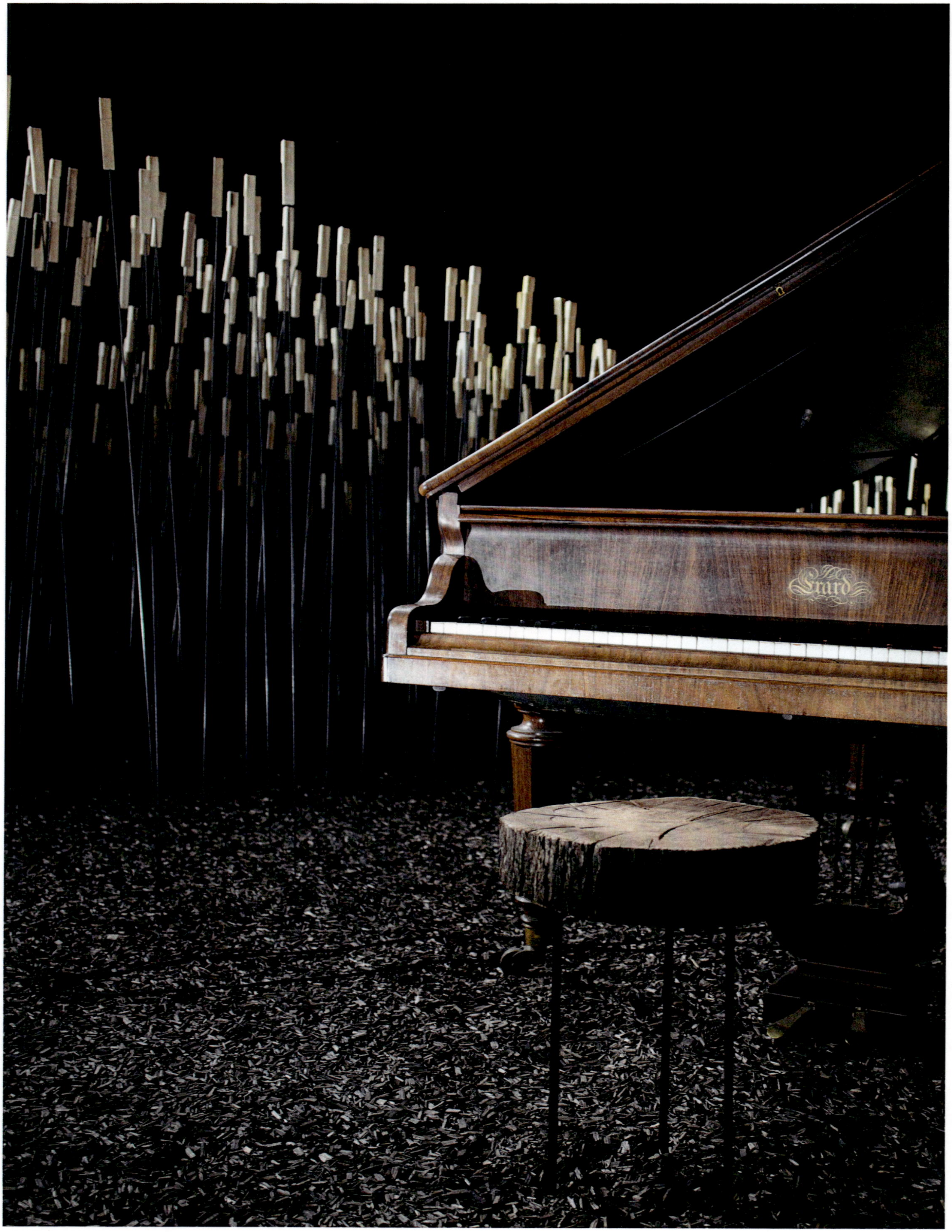
Erard

Les poussières d'ivoire

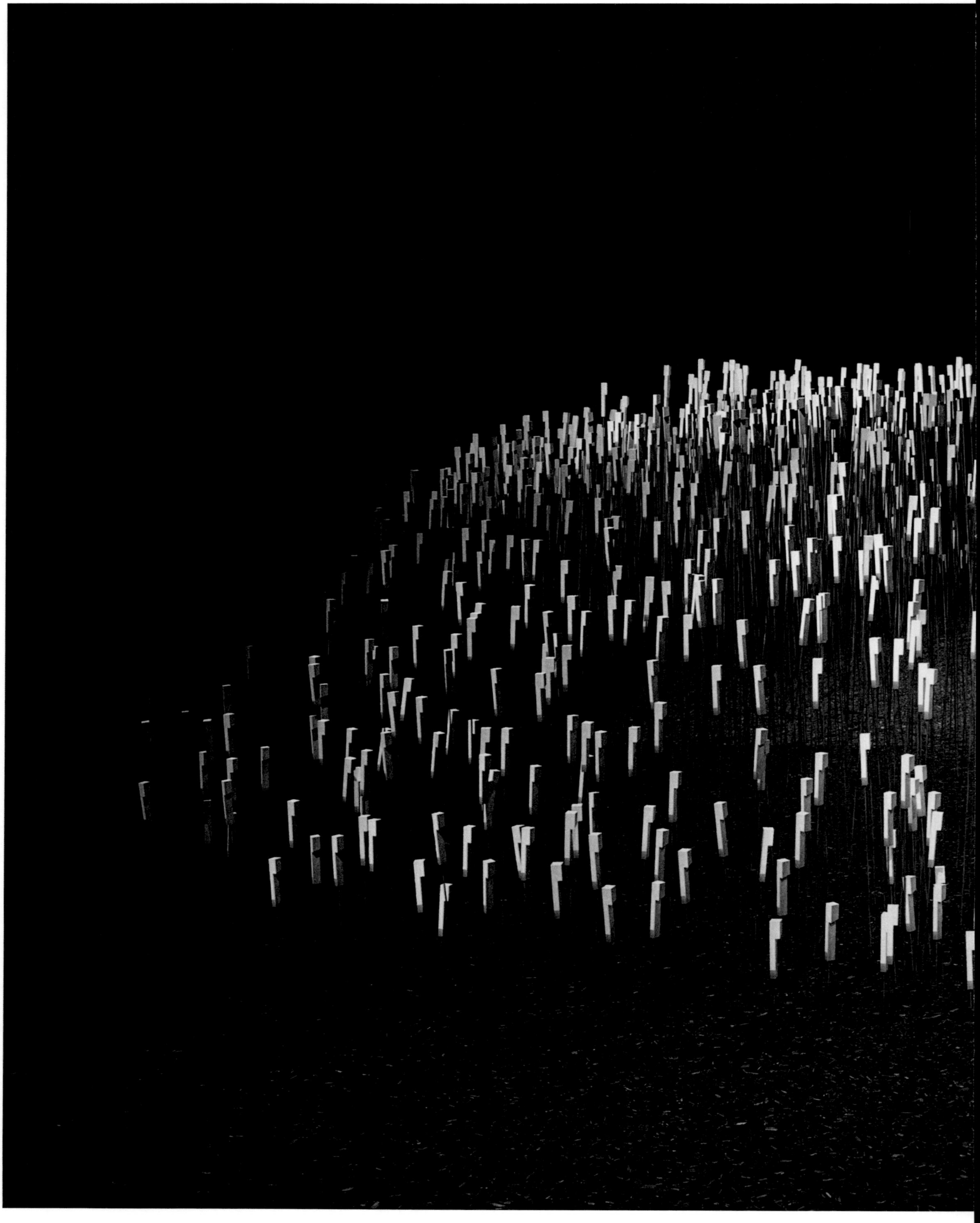

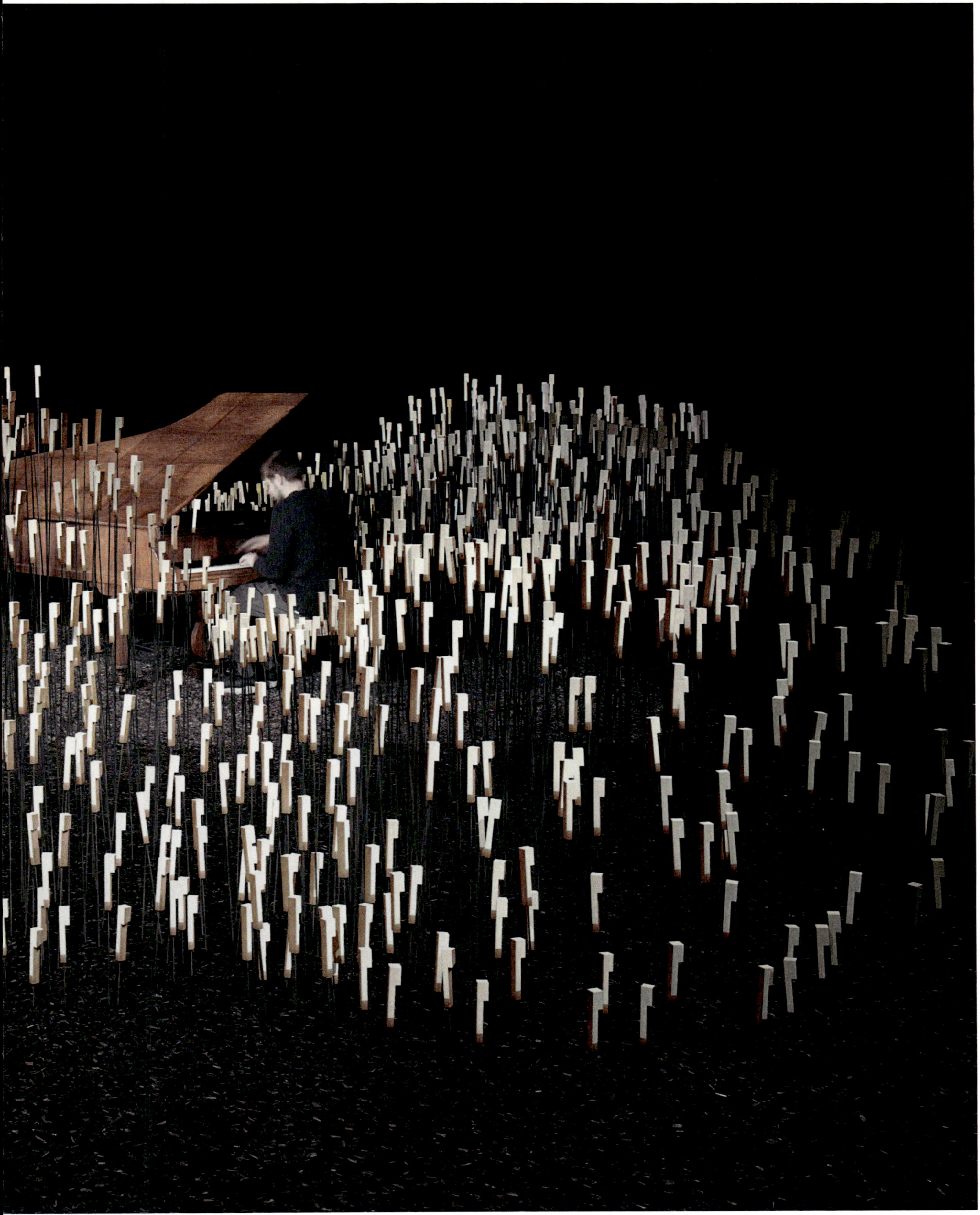

*J'ai posé mes mains sur son clavier. [...] J'ai laissé mon cœur jouer. J'ai laissé ma peau parler. Partager, tout simplement. Des heures durant. Toute la nuit.
Le temps est le plus beau cadeau des vivants.*

Les mers rêvent encore, page 86

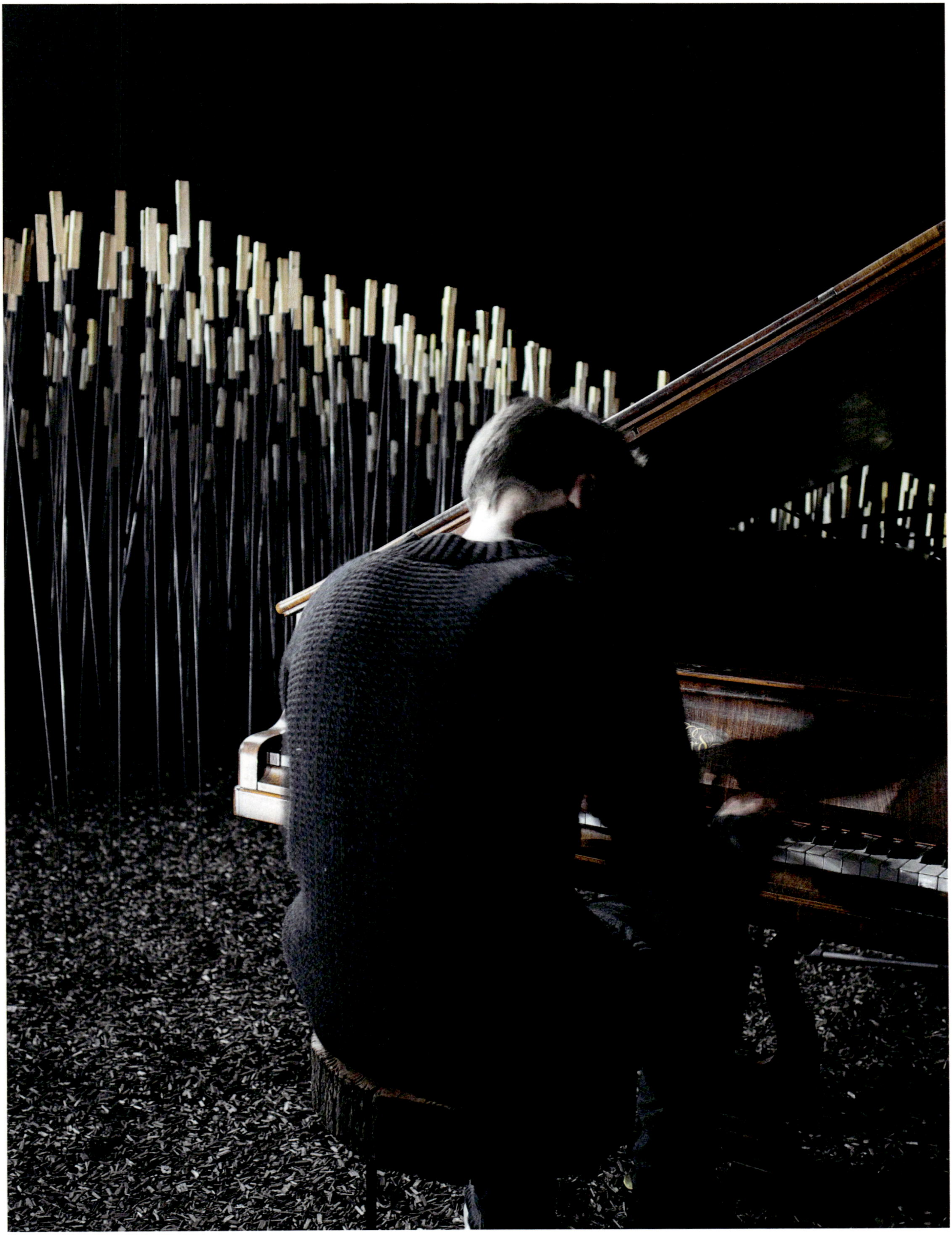

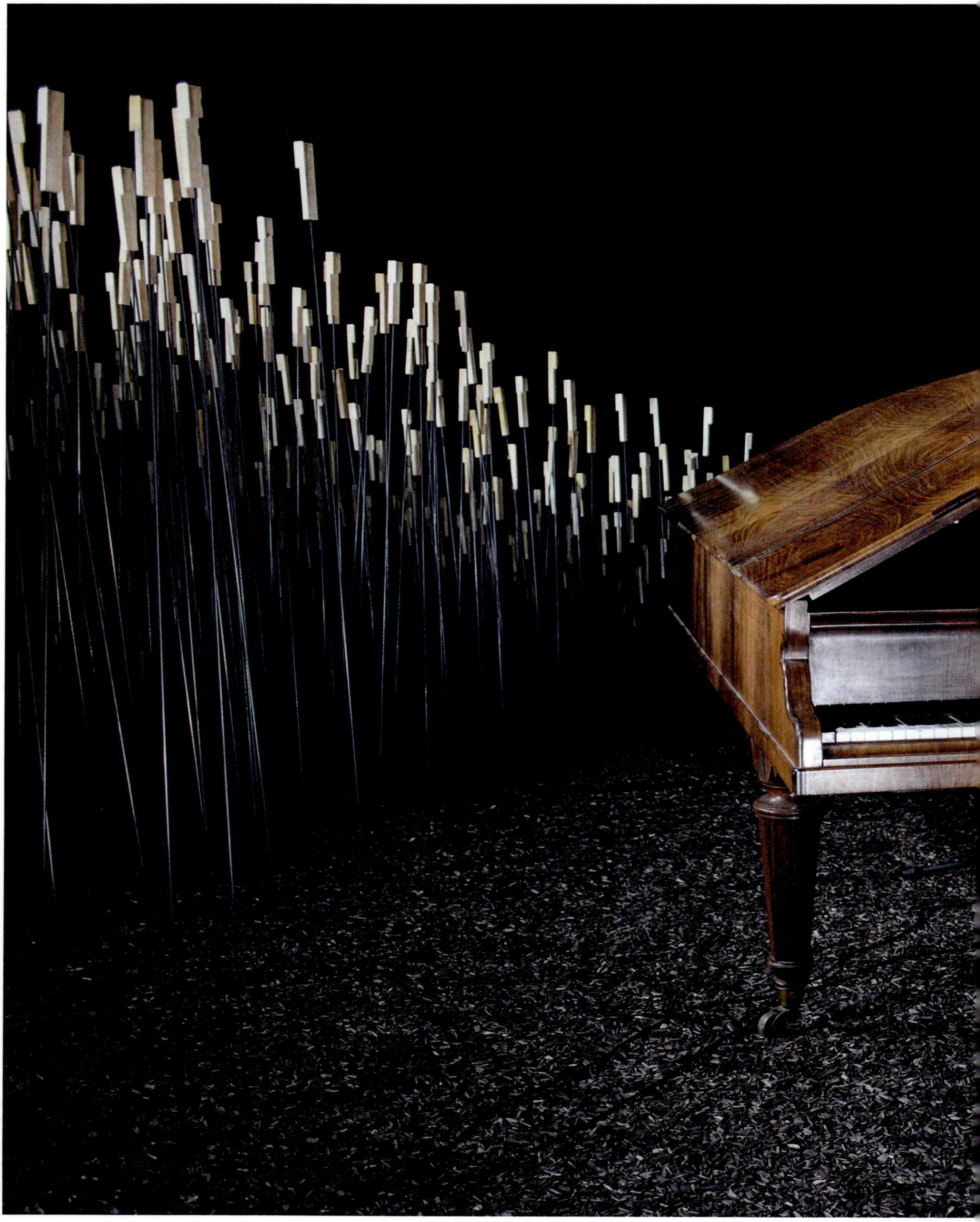

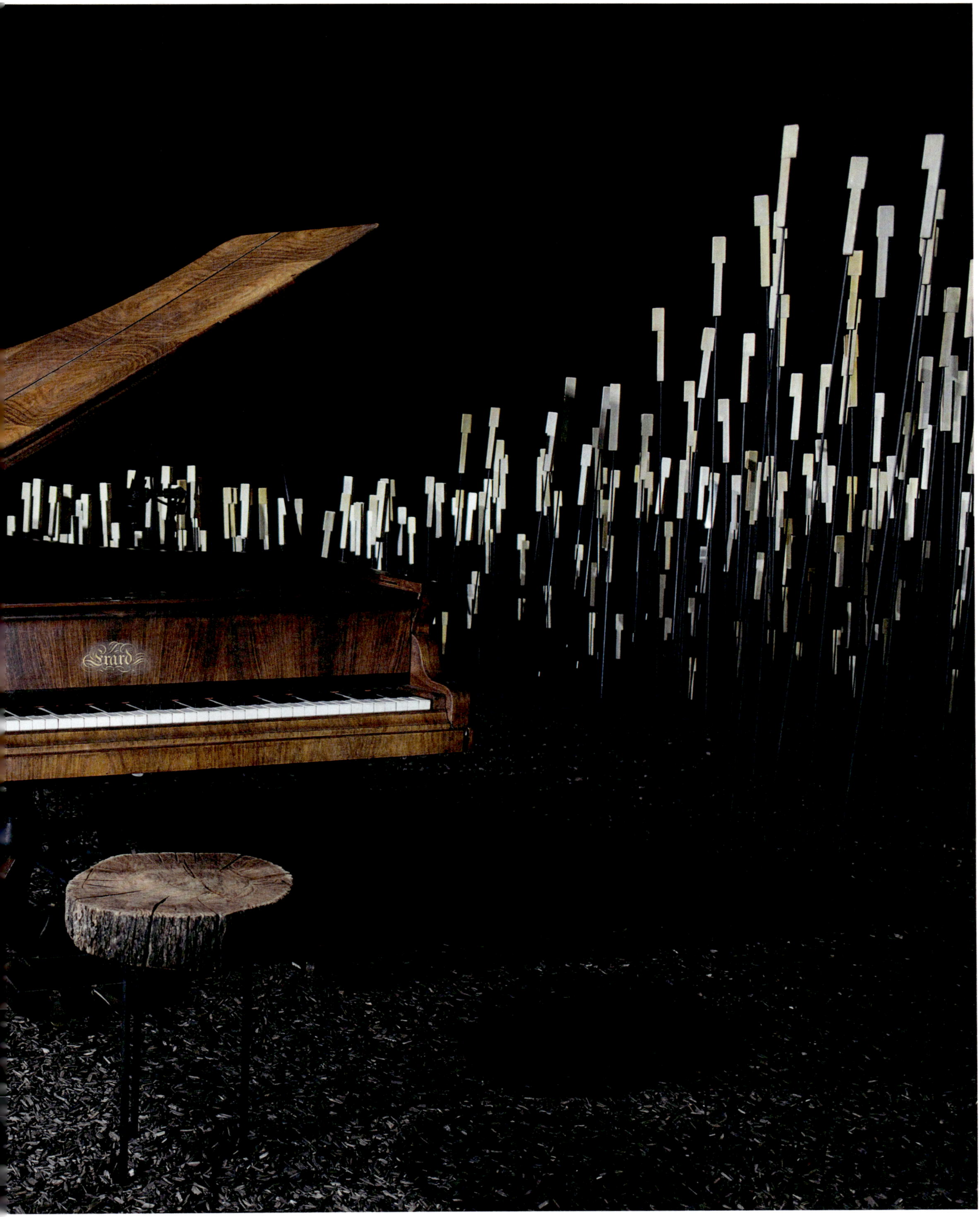

Les poussières d'ivoire :
création 2020.

1000 touches de piano
en ivoire, vidéo.

Vidéo :
Voix off : extrait du livre,
chapitre *Le cimetière de pianos*,
lu par Tchéky Karyo.
Performance : improvisation
de Lilian Guiran sur piano Erard 1884.

Dimensions :
5 m x 6 m. Hauteur 2 m.

Oeuvre réalisée avec le soutien de
l'association Les passeurs de pianos
et de la société Canon.

Le poète se ferait-il soudain militant ? Le rêveur activiste ? L'utopiste guérillero ? Sûrement pas. Il est des causes qui lui sont chères, certes, et il entend le faire savoir. Mais pas à la manière d'un combattant, pas plus qu'à celle d'un donneur de leçons. Il ne fonctionne ni à coup de slogans ou d'actions ostentatoires, ni de réquisitoires ou de menaces. Il est l'ascète philosophe qui rêve le monde autrement, mais à partir de ce qui existe déjà. Comme un enfant qui, avec un jeu de construction, invente autre chose que ce qui est indiqué dans le mode d'emploi et en propose un bien meilleur usage. Ou comme un troubadour du temps présent qui, par la bande et en pointillés, nous ouvre le regard et nous aiguise la conscience au monde qui nous entoure.

Les passeurs de pianos sont une association de bénévoles qui s'est donné pour mission de récupérer des pianos mis au rebut et de les restaurer pour les donner à des hôpitaux, des écoles, des maisons de retraite… C'est dans ses dépôts et avec son soutien que l'artiste a pu recueillir les touches d'ivoire dont leurs vieux pianos abandonnés étaient encore pourvus. L'ivoire n'est plus utilisé dans la fabrication de pianos depuis les années 1950. Et depuis 1989, la Convention de la CITES interdit son commerce à l'échelle internationale. Mais les réglementations ne sont hélas pas parvenues à éradiquer le juteux braconnage des éléphants dont l'espèce est gravement menacée. Il serait même en pleine recrudescence.

Pourtant autant, l'installation-performance Les poussières d'ivoire n'a rien d'un cimetière des éléphants. Elle tient bien plus d'une ode à la protection des pachydermes en particulier, et à celle de toute espèce vivante en général. Une scénographie poétique, métaphorique et allusive. Une partition visuelle et musicale. A chacun de la lire et de l'interpréter à son gré.

Dans la pénombre de la pièce, un piano à queue Erard de 1884 semble égaré au milieu d'un étrange champ de blé sous une lumière lunaire… Fichées sur des tiges métalliques noires, de hautes tiges souples sur lesquelles elles se dressent comme des épis clairs, mille touches d'ivoire oscillent doucement dès que passe un courant d'air, telles les mille têtes dodelinantes d'une foule silencieuse qui attend et qui écoute. Une voix invisible se met alors à réciter quelques vers du journal de bord du navigateur-poète solitaire pour tenter de réveiller une à une les notes oubliées. Et voilà que le pianiste Lilian Guiran entre sans bruit dans le cercle de lumière, s'installe lentement devant le clavier, le caresse en l'effleurant à peine, puis commence à égrener quelques notes rêveuses avant de les faire se répondre et s'entrelacer. Le rythme est lent, songeur, troué de silences recueillis. Minimaliste, répétitive et méditative, la musique s'insinue entre les touches verticales. « La beauté naît du dialogue, de la rupture du silence et du regain de ce silence » écrivait en 1948 dans son recueil *Fureur et Mystère* le poète René Char dont l'ombre habite toujours sa maison.

Grâce à l'écran géant du mur du fond, chaque visiteur peut vivre la performance (presque) en direct et grandeur nature. A nouveau, le trompe-l'œil agrandit l'espace bien au-delà de ses dimensions réelles et multiplie d'autant la profusion de ces énigmatiques graminées.

Magnifiés, désossés, reconstruits, les instruments de musique ont une place de choix dans l'art moderne et contemporain, des guitares de Picasso au piano emballé de feutre et marqué au sceau de la Croix-Rouge de Joseph Beuys. Dans les années 1950, les Nouveaux Réalistes ont commencé à s'emparer des objets pour leur redonner une seconde vie. Avec les violons ou les trombones entassés et comme fossilisés de ses Accumulations ou les cors, contrebasses et autres pianos cassés et recomposés de ses Colères, Arman brocarde les débuts de la société de la marchandisation à tout va et du prêt-à-jeter. Avec TV Cello, Nam June Paik hybride les arts en remplaçant le corps d'un violoncelle par des moniteurs TV empilés, puis en invitant une violoncelliste à promener son archet sur les écrans qui la montrent en train de jouer cette même performance. Travaillant lui aussi au point de confluence de la musique expérimentale et des arts plastiques, Christian Marclay propose - entre autres instruments revisités - son accordéon qui serpente sur sept mètres de long ou son accouplement bouche-à-bouche d'un tuba et d'une trompette qui, par là même, les réduit tous deux au silence. Quant à l'installation vivante de Céleste Boursier-Mougenot qui réunit dans une volière 70 diamants mandarins dont les seuls perchoirs sont des guitares électriques branchées sur des amplificateurs, elle diffuse une musique aléatoire qui se combine poétiquement avec le chant des oiseaux.

Comme eux, Stéphane Guiran a ce besoin irrépressible et double de se tenir sur la crête d'un moment de la vie du monde qui le concerne au plus profond, en même temps que de se relier à la quête ardente de transcendance qui hante les artistes depuis l'aube des temps. Et peut-être bien que c'est en conjuguant plusieurs arts et en oscillant entre le matériel et l'immatériel comme entre le visible et l'invisible que ceux d'aujourd'hui parviennent à « garder une pensée nomade pour être à même d'arpenter le monde en mutation permanente et accélérée. Pour rester prêts à tout instant à s'aventurer sur des chemins inconnus » (*Histoire matérielle et immatérielle de l'art moderne et contemporain*, Florence de Mèredieu).

F J

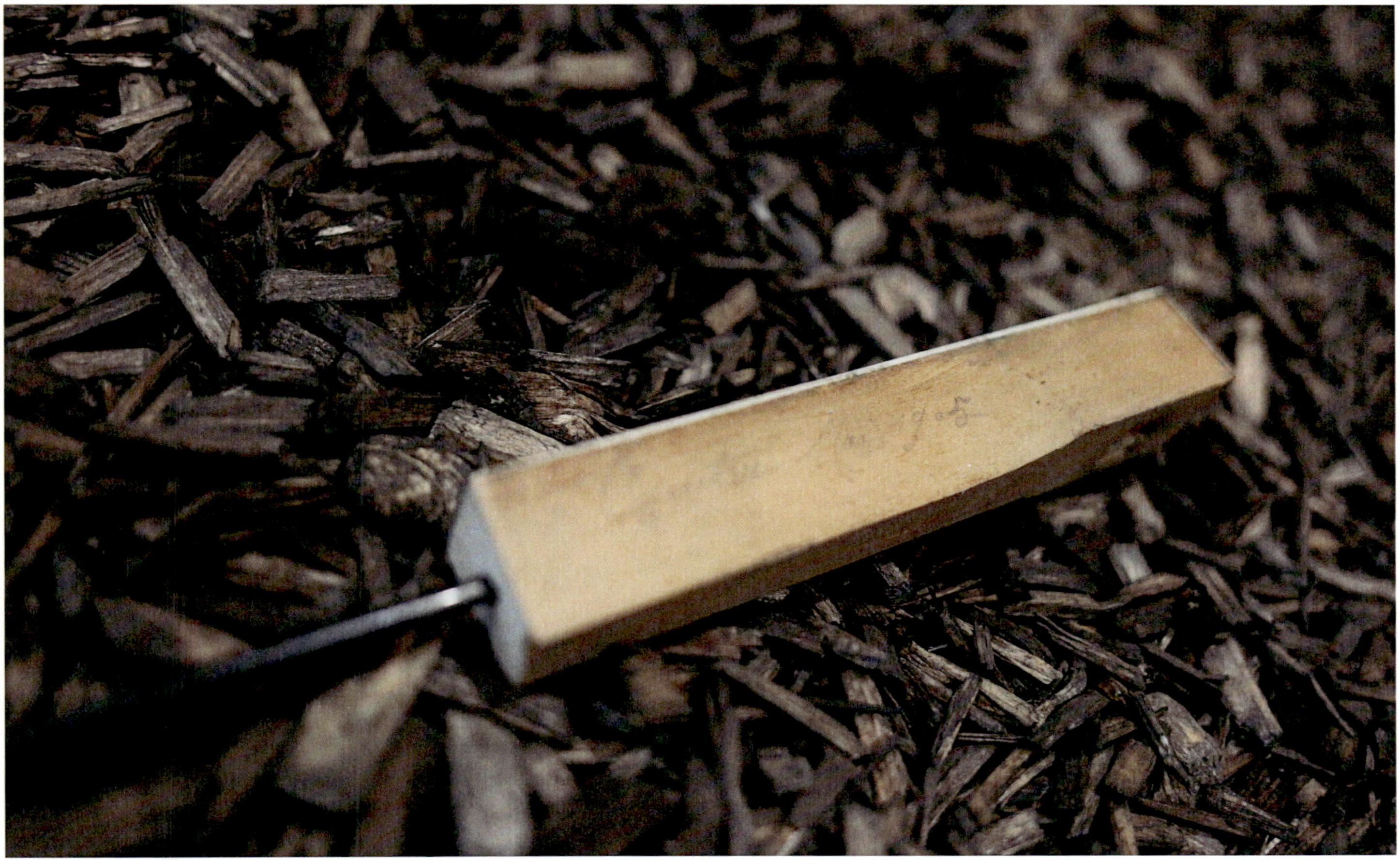

Ci-dessus : ce qu'il reste d'un piano (ébène, ivoire, matricule). Sachet déposé à l'atelier en 2018 par Bruno Vincent, fondateur de l'association Les passeurs de pianos.

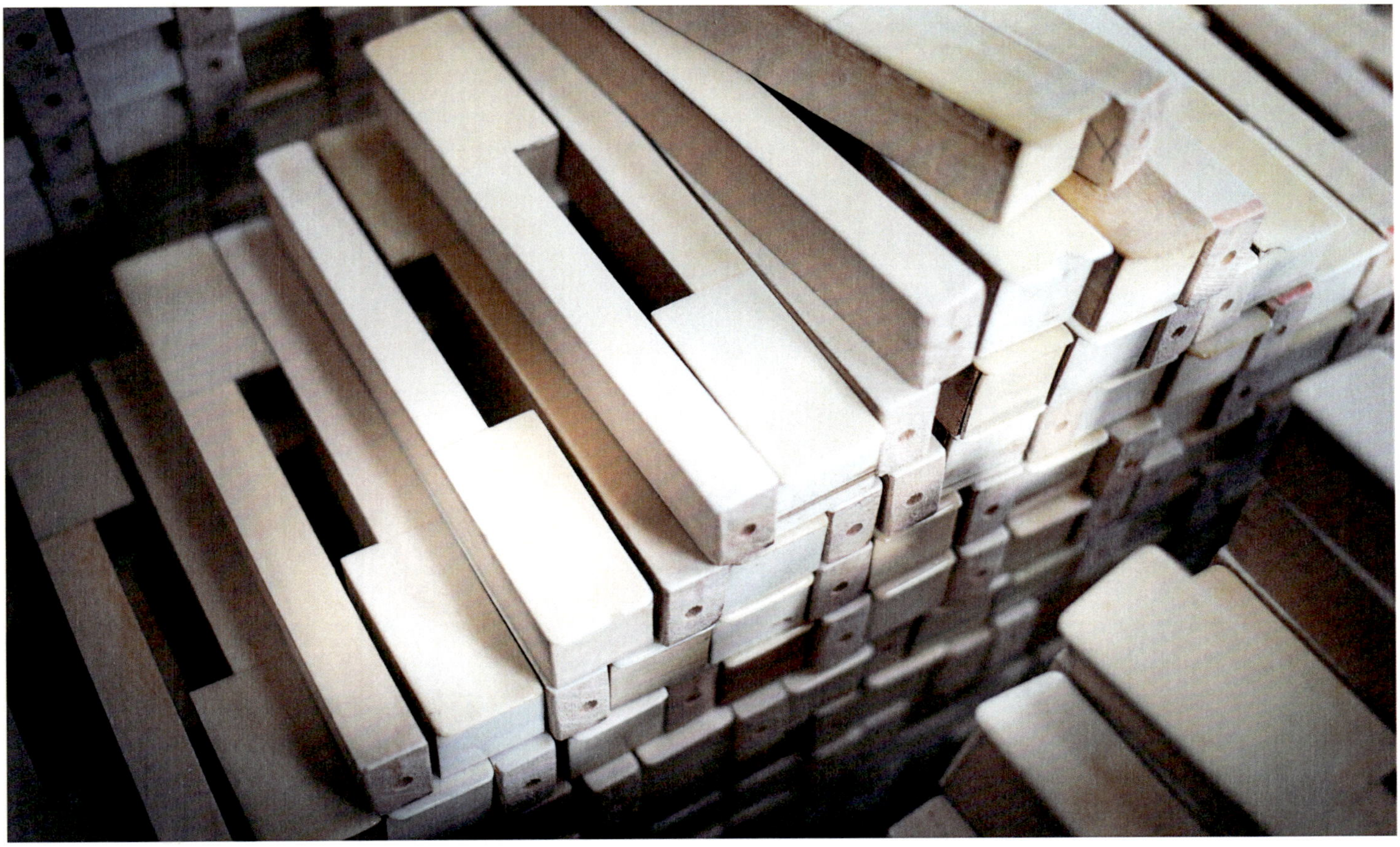

Ci-dessus : tunnel où l'association
Les passeurs de pianos stockait les pianos
qui ont servi pour créer les œuvres.

Ci-contre : Tchéky Karyo et Jean Lamoot,
lecture «confinée» d'un extrait du chapitre
Le cimetière de pianos.
Enregistrement de la voix off en ouverture
et conclusion de la vidéo.

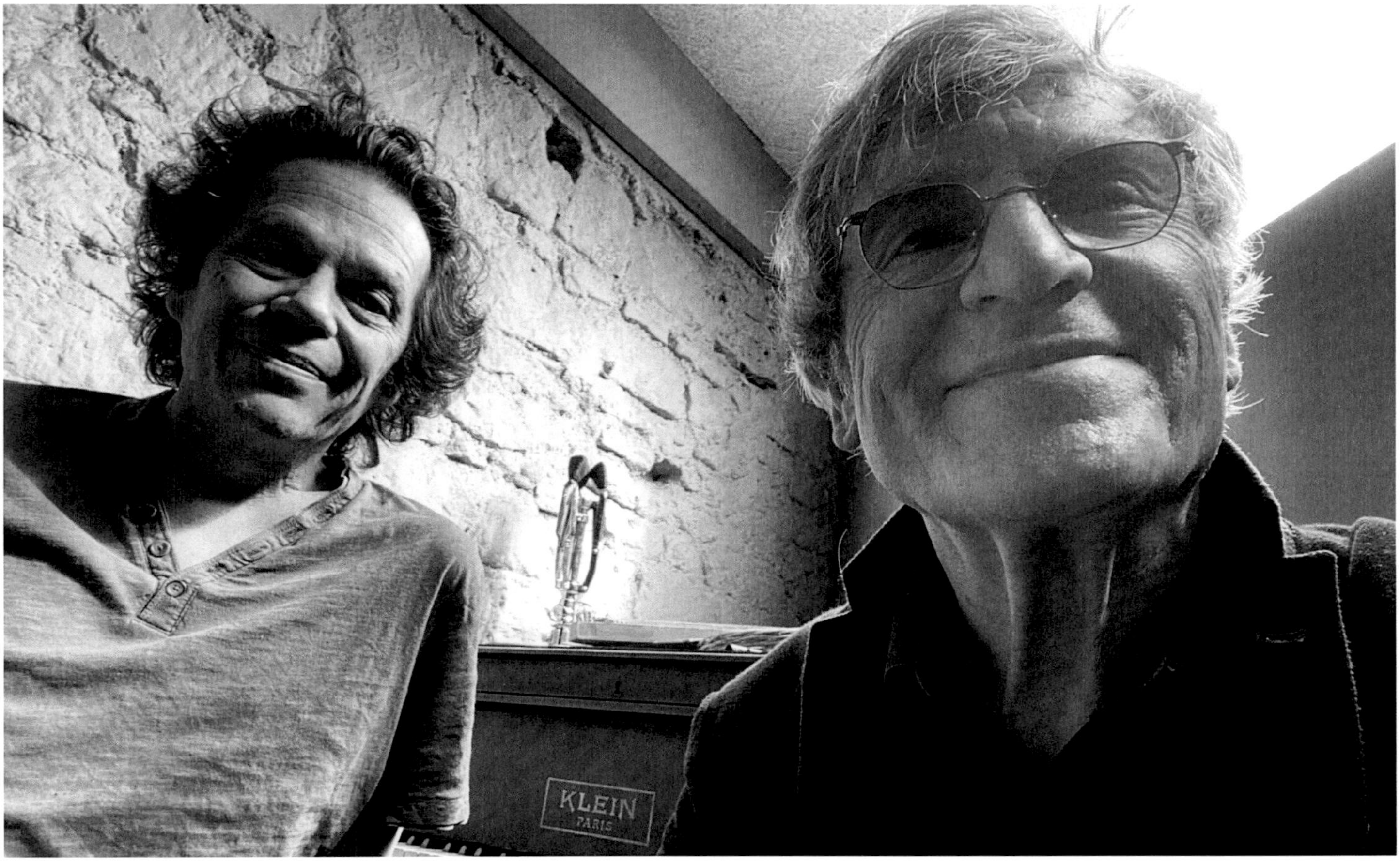
KLEIN
PARIS

Atelier, préparation du tournage de la vidéo.

1300
1320
1340
1360
1380
1400
1420
1440
1460
1480
1500
1520
1540
1560
1580
1600

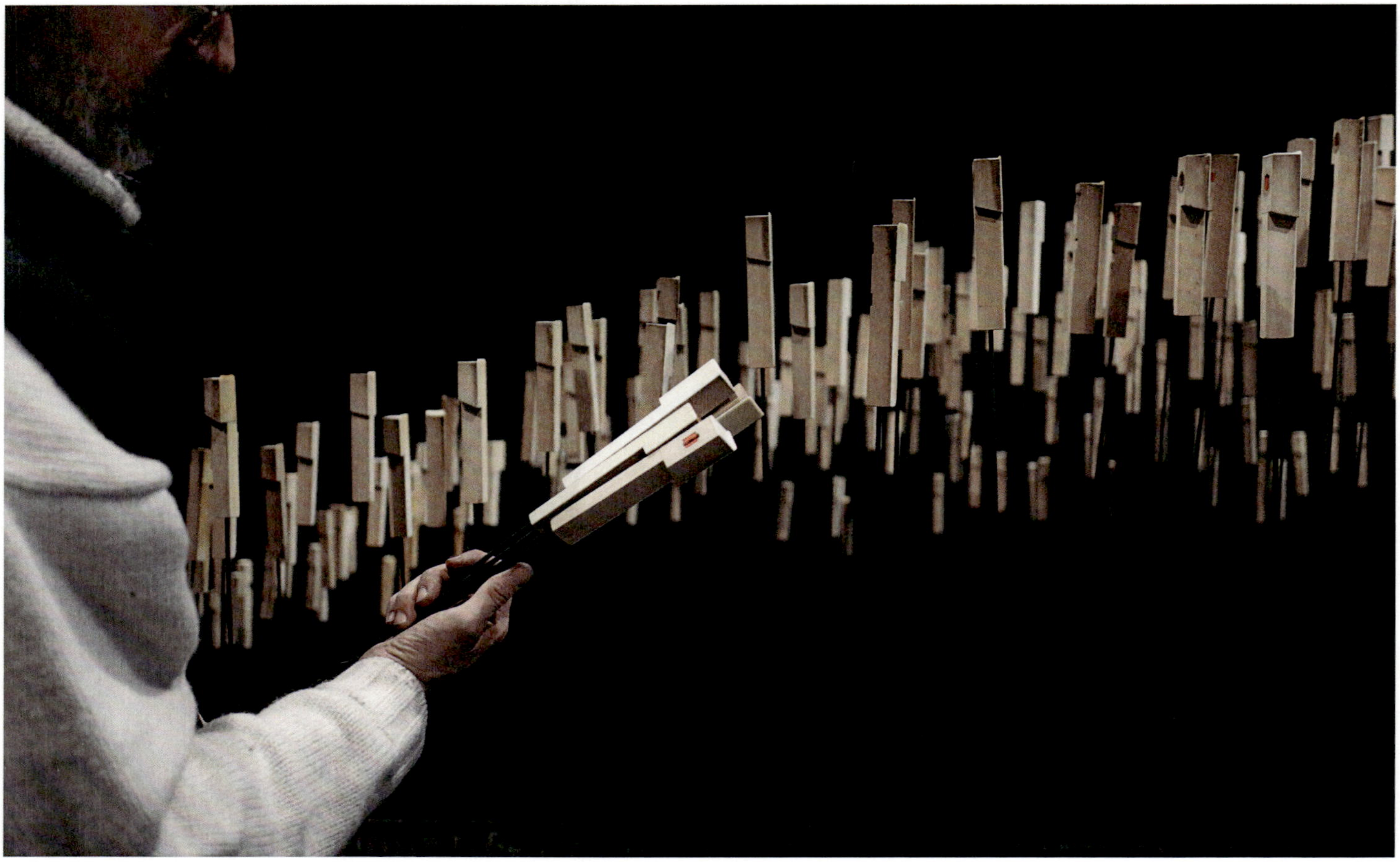

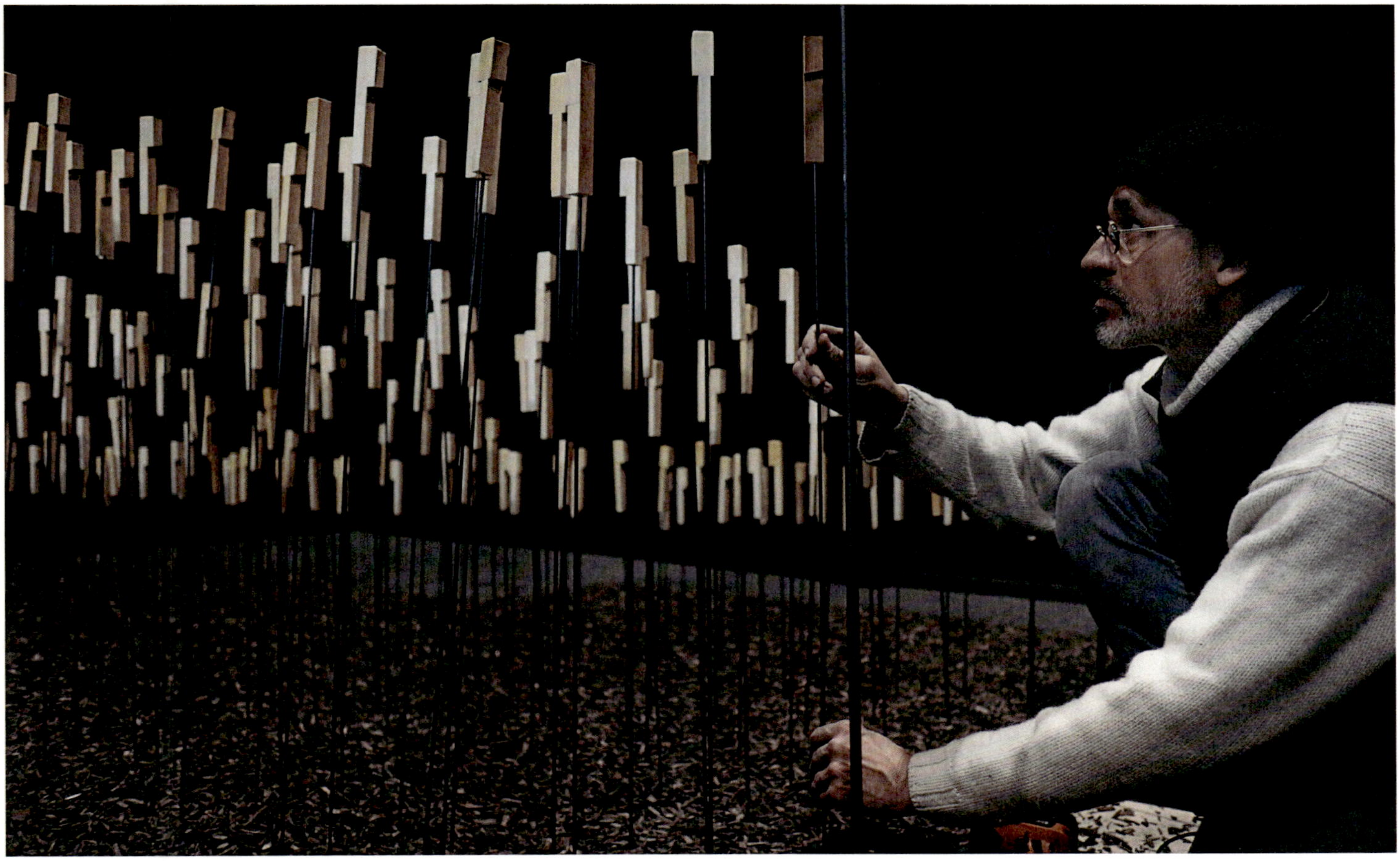

L'humus des jours :
Piano Erard 1865, bronze.

Sculpture inspirée de l'installation
Les poussières d'ivoire.
Oeuvre réalisée en 2020 pour l'exposition
Recyclage / Surcyclage, Fondation Villa Datris,
Isle-sur-la-Sorgue.

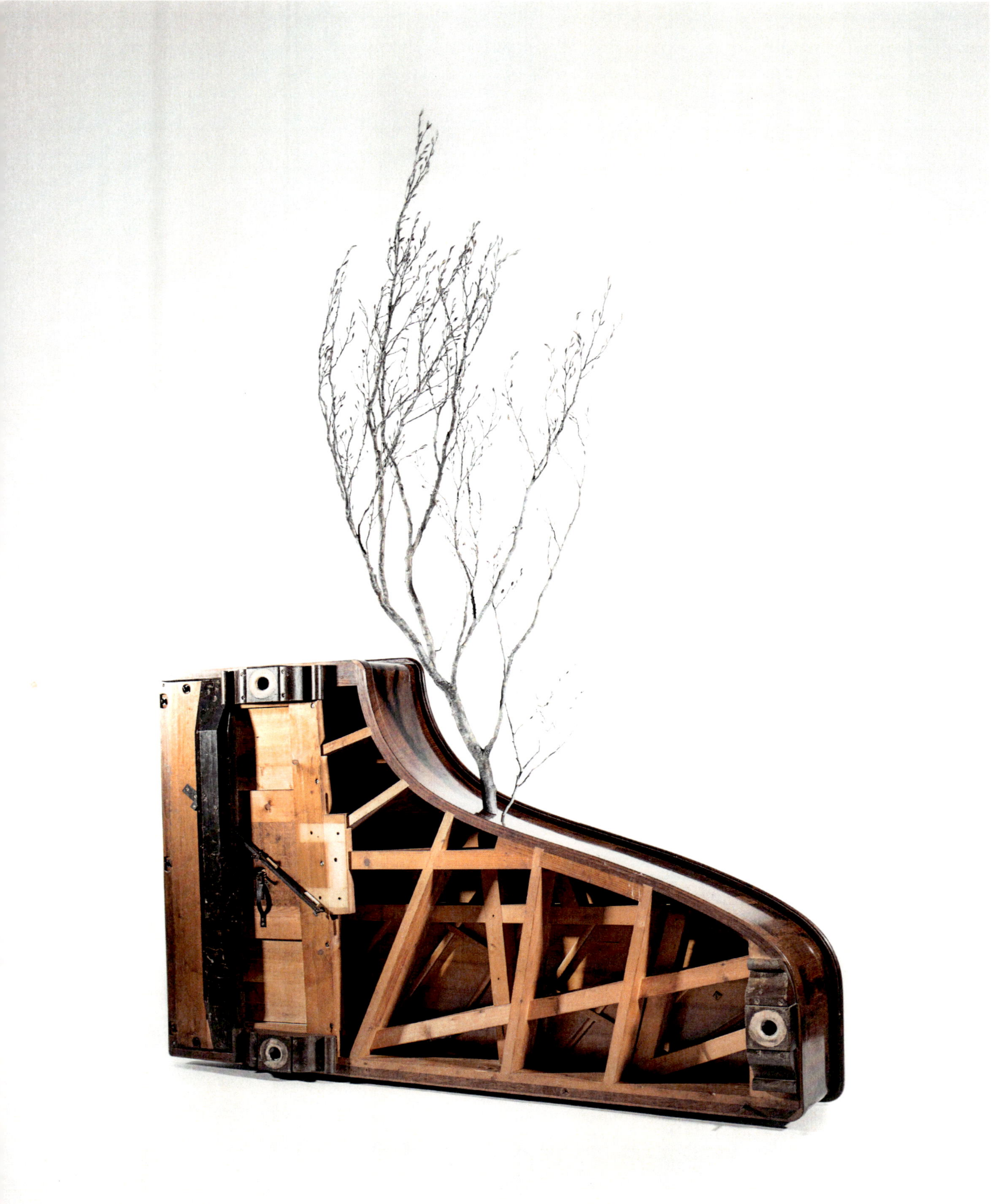

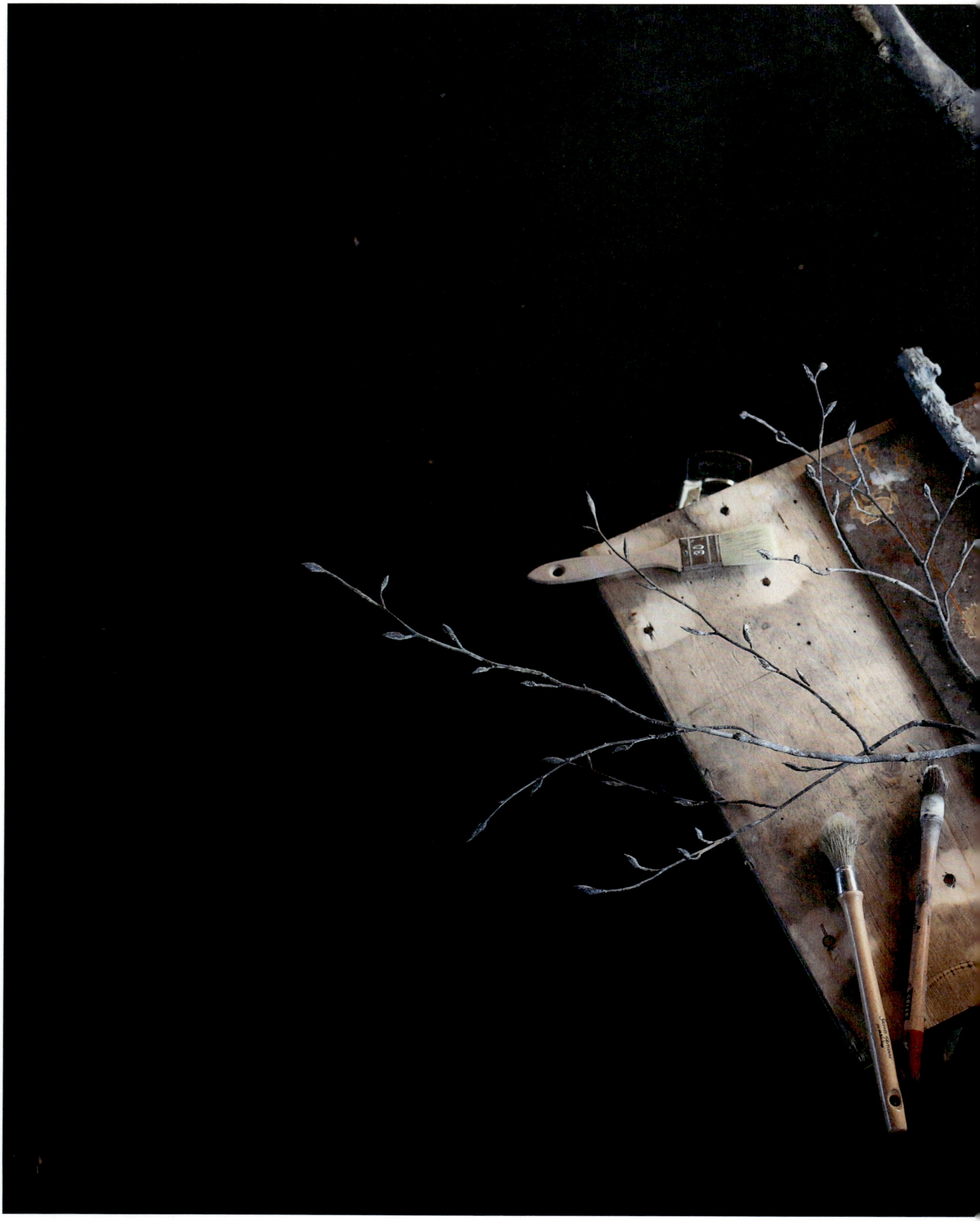

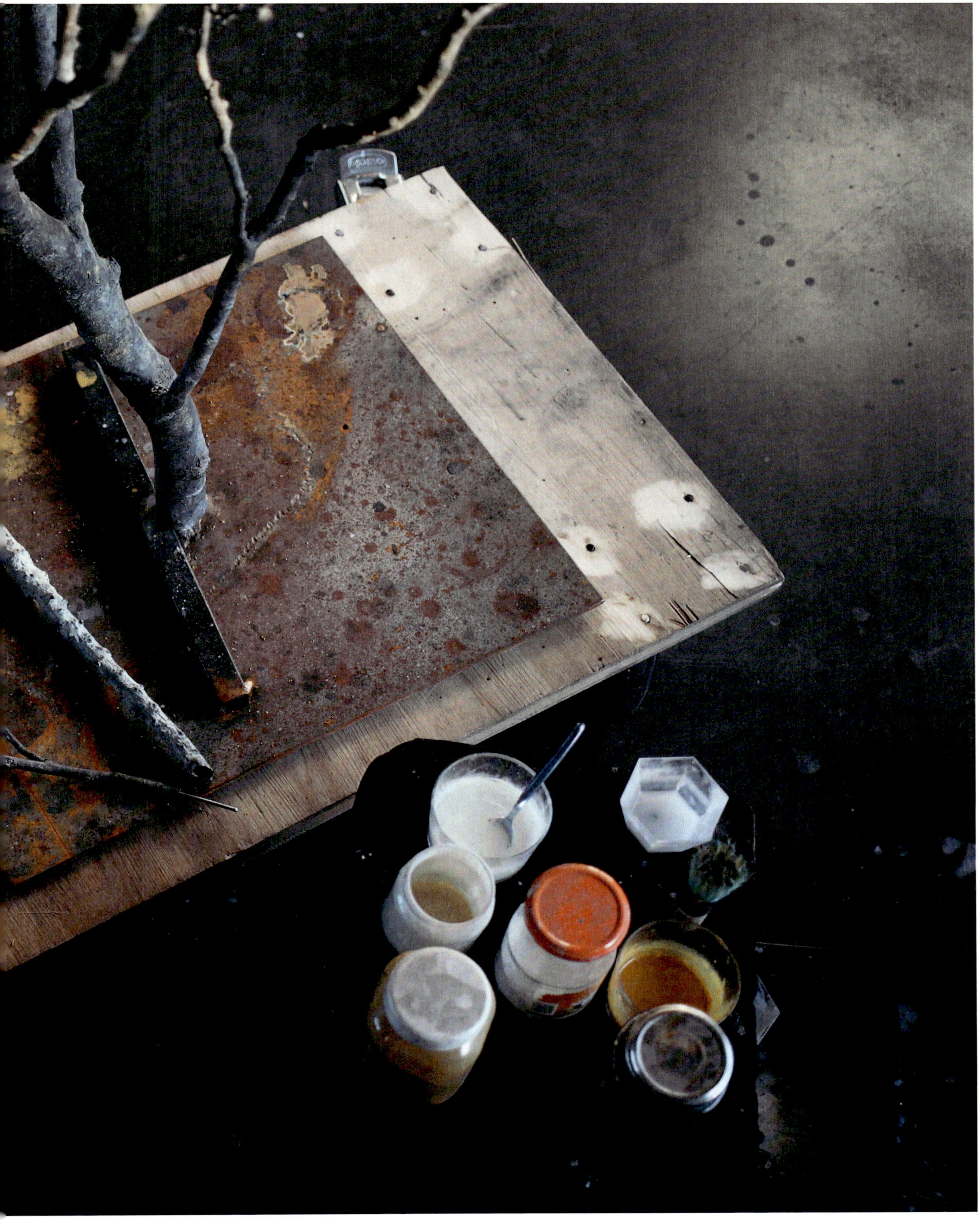

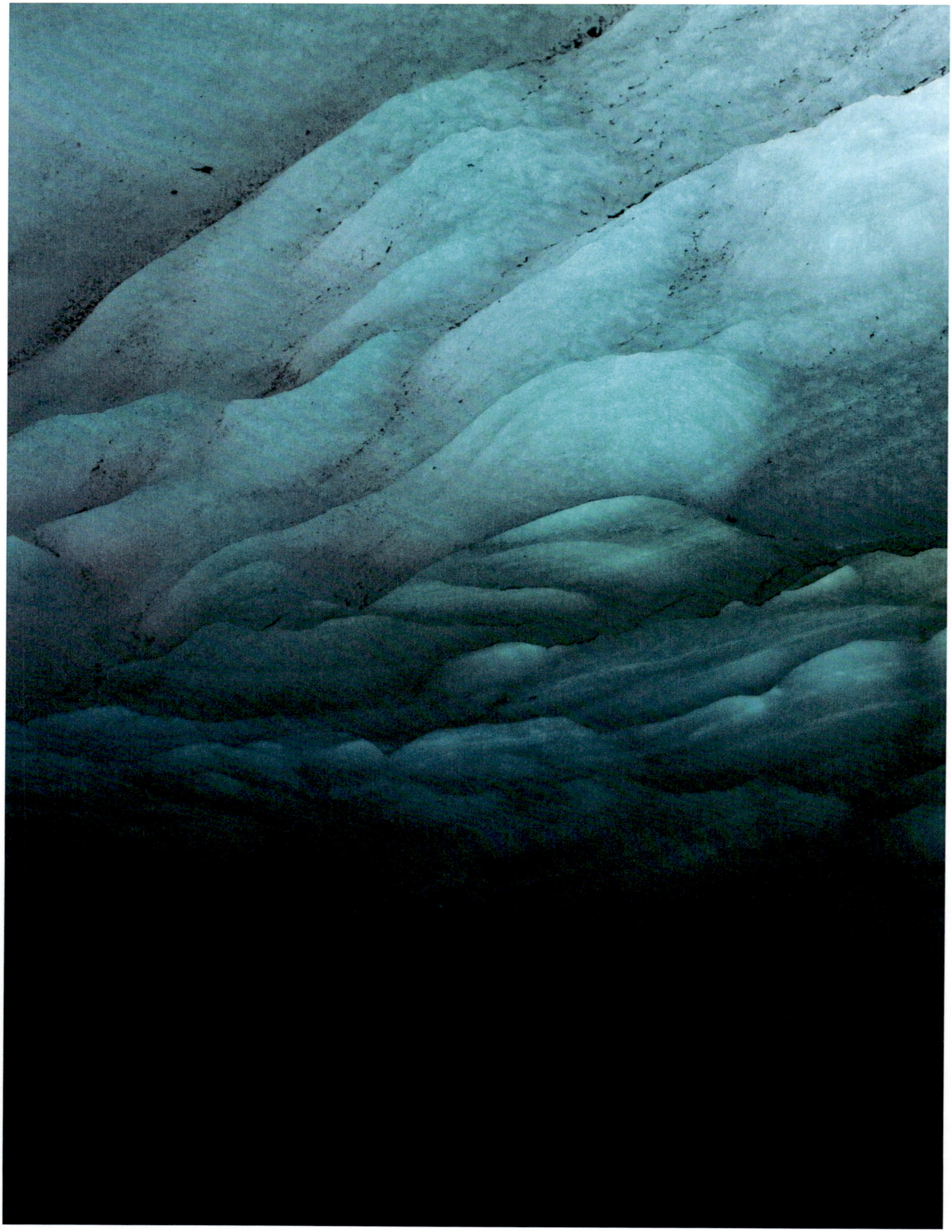

Tessiture de l'azur

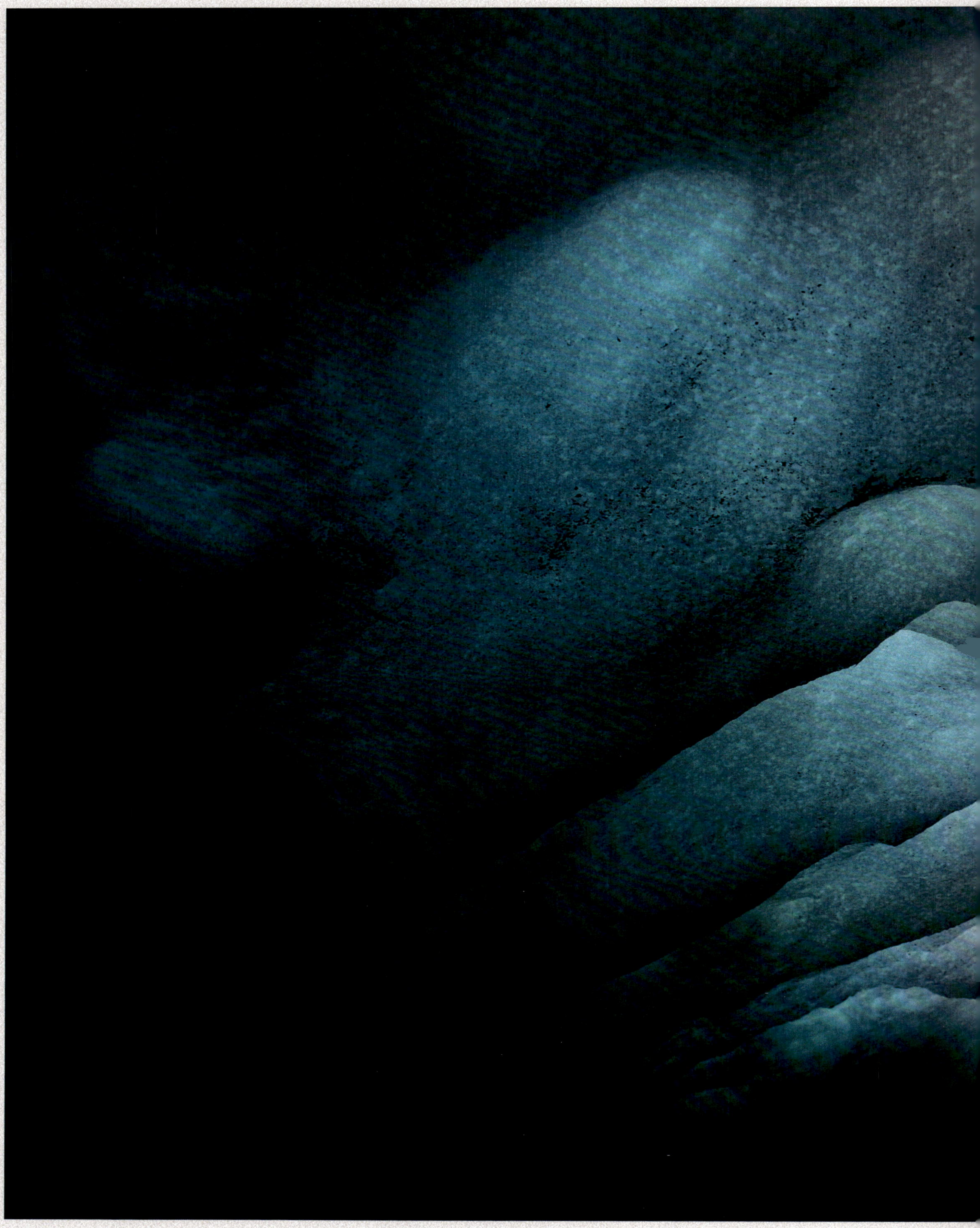

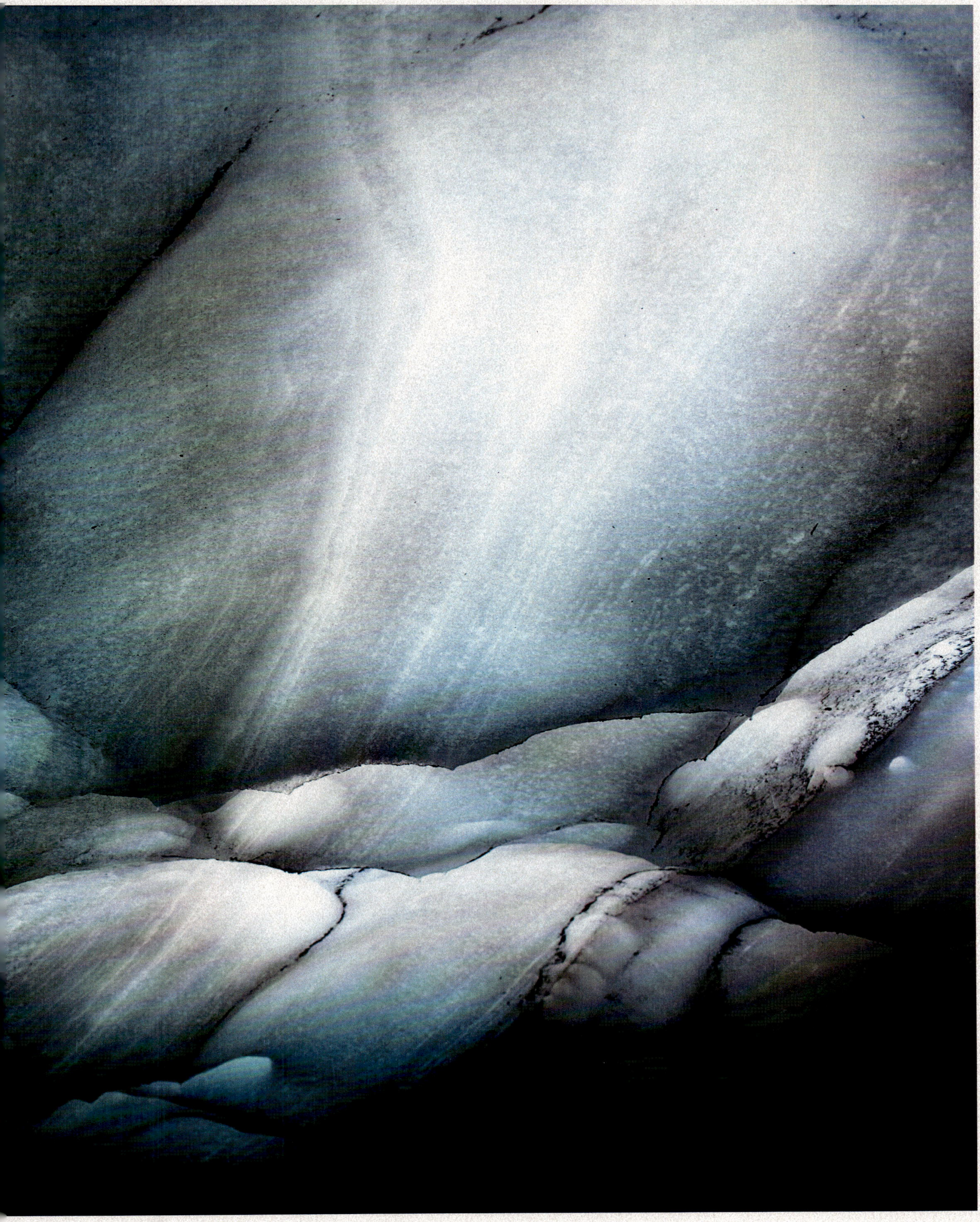

Page précédente et suivante :
Grottes de glace,
montagnes de Fjallabak,
Islande, 2019,
série *Tessiture de l'azur*.

Ci-contre :
Jokulsarlon, Islande, 2014,
série *Symétries*.

Hier s'était cristallisé. Dans les profondeurs, l'amer. Mon voilier était iceberg. Iceberg vivant.

Dans le sel de la nuit, nos voiliers-icebergs. Sous la ligne du visible se cache l'eau douce-amère de l'inconscient.

Les mers rêvent encore, page 95

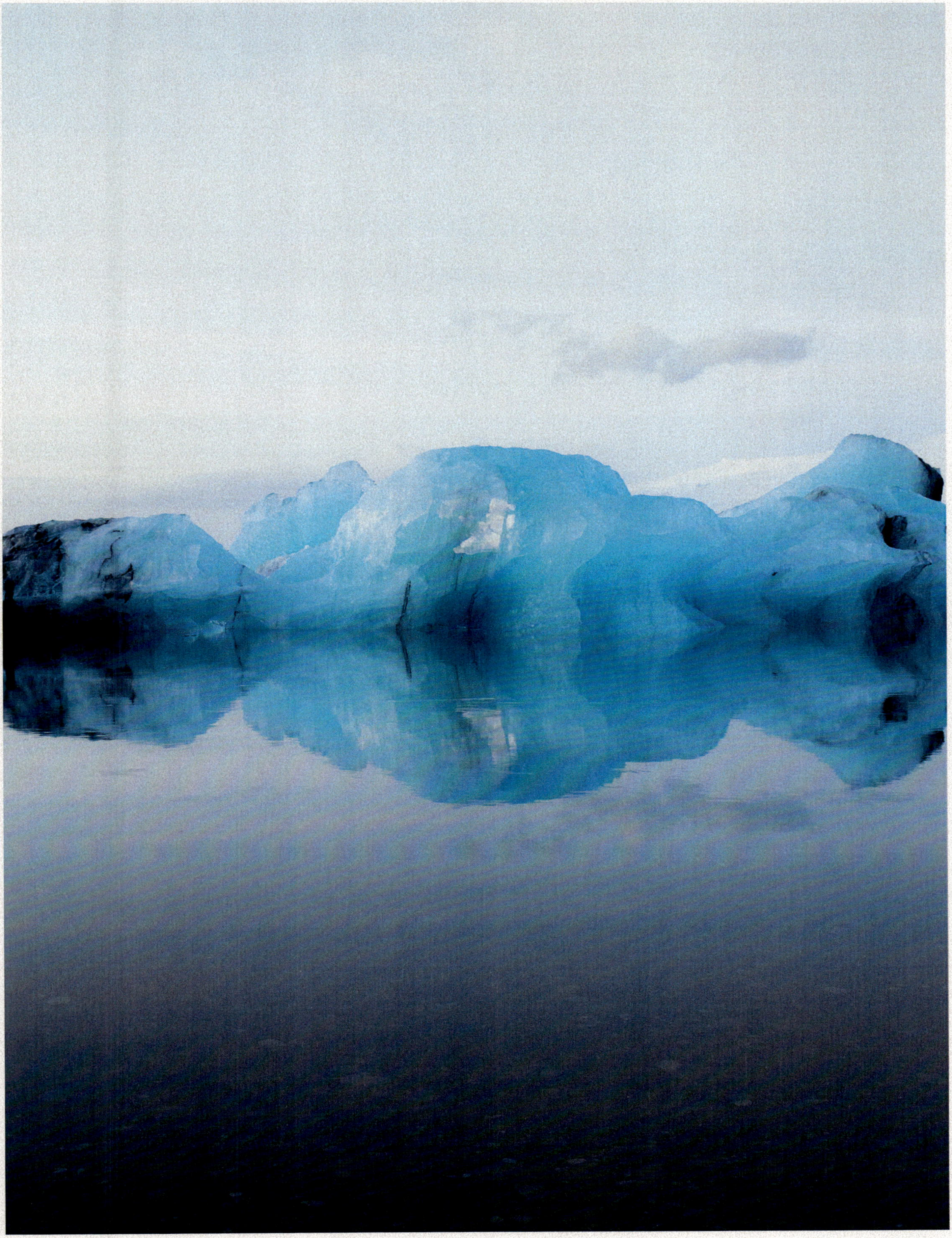

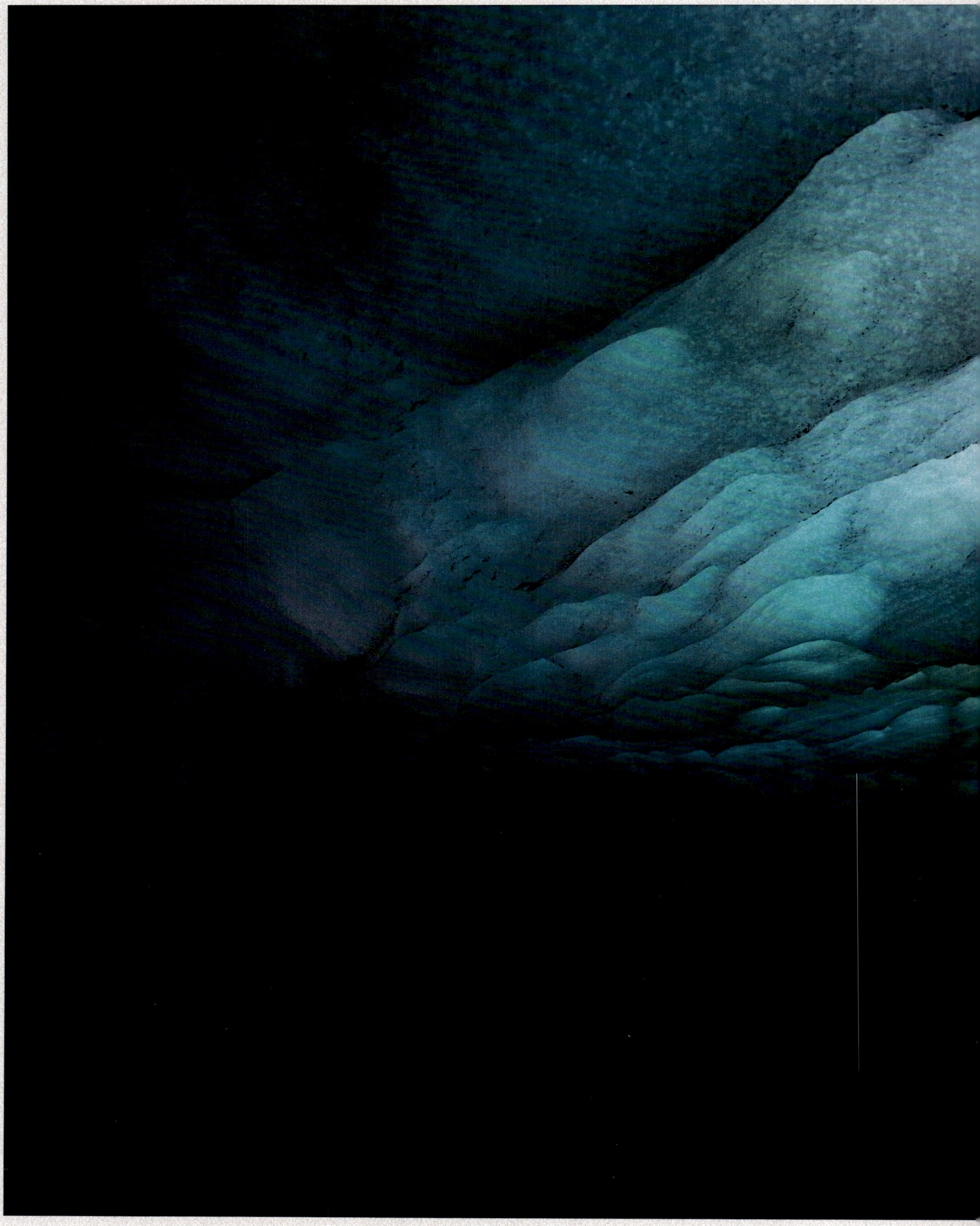

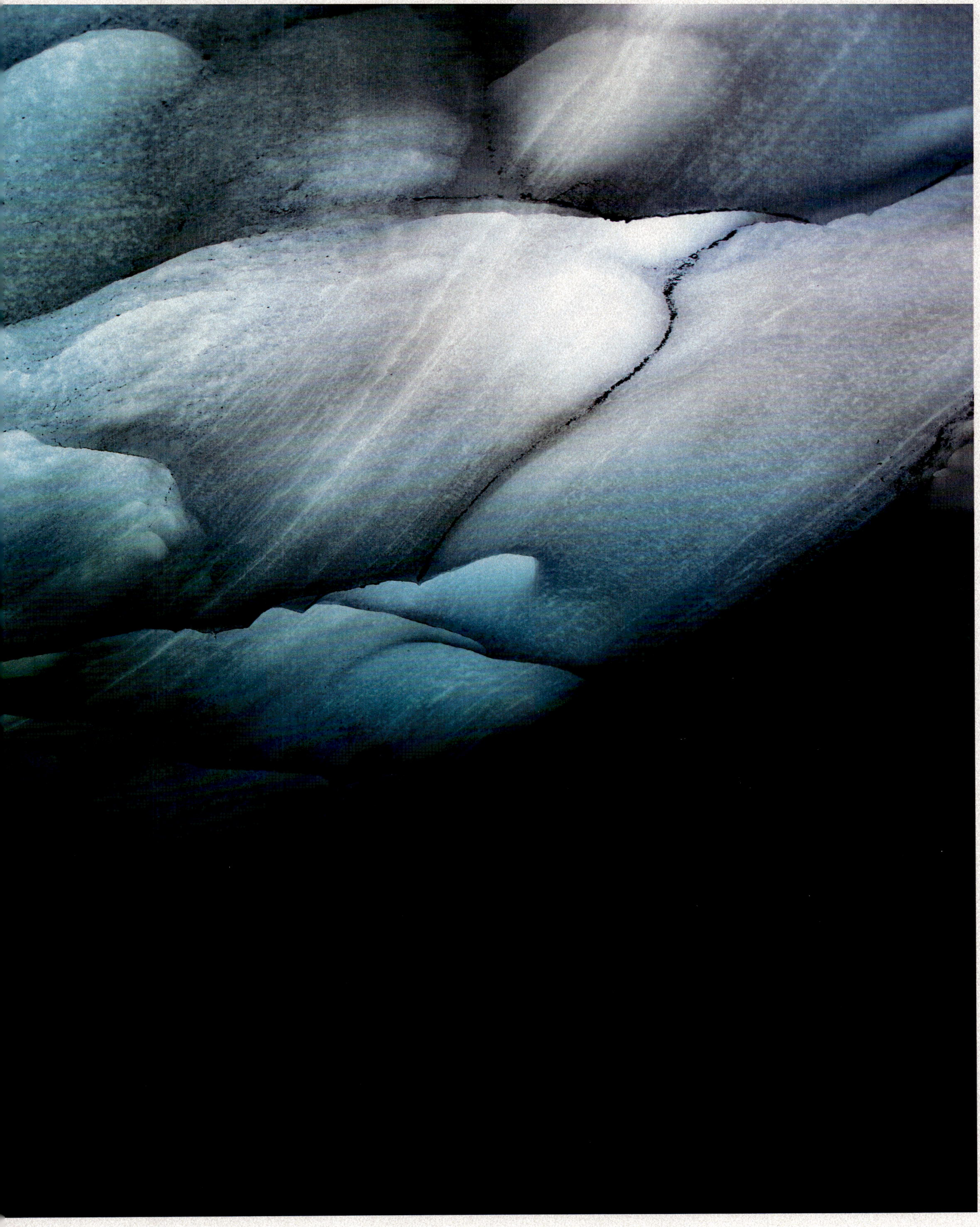

Tessiture de l'azur :
création 2019.

2 photographies.
Islande, montagnes de Fjallabak, 2019.

Dimensions :
100 × 150 cm.

Voilà l'unique des sept étapes de ce voyage initiatique qui n'est pas nocturne. Ou plutôt, qui se situe au-delà du partage du jour et de la nuit puisqu'elle est souterraine. Pas de murs noirs, mais un écrin bleu nuit. Pas de sculpture ni d'installation lumineuse, l'espace est vide de toute construction. Ni son, ni mouvement non plus, juste l'empreinte profonde et le silence bruissant de l'histoire millénaire de notre monde. Ce sont ici deux grandes photographies qui nous emmènent dans les territoires des grands froids et nous plongent dans les étranges concrétions glaciaires de cavités polaires. Nord et sud confondus, les deux calottes de notre planète se font écho par-delà leurs différences, l'artiste enchevêtrant ses rêves éperdus d'Antarctique avec sa découverte fascinée de l'Islande.

C'est une respiration dans le parcours, un arrêt sur images qui nous ramène aux temps géologiques, à la puissance inventive de la nature qui n'en finit pas de façonner et de transformer le monde, et à la force et la patience des vents et de l'eau vrillant et polissant inlassablement les roches et les glaces. Voici donc les bourgeonnements en grappes baroques des glaces enfouies. Toutes fines et éphémères soient-elles, elles absorbent tout le spectre des couleurs, hormis le bleu qu'elles déclinent en somptueux bouquets : aigue-marine, cyan, turquoise, cobalt, pétrole ou indigo modulés par leurs différentes densités, par la quantité de bulles d'air qu'elles renferment et par les ombres et lumières qui pénètrent jusqu'à elles pour caresser leurs rondeurs presque organiques. Avec leur épiderme veiné ou moucheté de clair, elles suggèrent des créatures dormantes tapies dans le théâtre secret des grottes polaires.

Incomparable sculptrice, la nature se déploie ici dans toute sa splendeur intouchée. L'artiste n'intervient qu'à travers son regard qui en cueille et en cadre des fragments saisissants. Pas d'autre action à partir de ces découvertes, pas de réinterprétation de ces visions, pas de traduction dans d'autres langages et matériaux. La beauté toute nue. Et le besoin de faire silence devant le génie créateur de la nature.

Fjords de l'est,
Islande, 2018,
série *Respirer l'horizon*.

Mais pourquoi ce désir d'Antarctique ? Peut-être parce que le fameux continent blanc rappelle des expéditions et des explorations mythiques, fait surgir dans l'imaginaire des paysages à la beauté irréelle et suscite une fascination quasi mystique ! Peut-être aussi parce que plus que tout autre, il nous fait remonter à l'aube glacée de notre planète.

L'Islande n'est pas en reste avec ses décors lunaires, son sens du merveilleux et son huldufólk ou peuple caché d'elfes, trolls, nains, gnomes et autres esprits à la présence presque palpable qui peuplent l'univers surnaturel de la mythologie et des sagas fantasmagoriques de l'île volcanique pour se faire les intermédiaires entre le monde des humains et les forces de la nature.

Mais surtout, à ce stade du périple, il est temps pour le voyageur d'affronter ses propres glaciations intérieures, son Antarctique intime, tout ce qui s'est cristallisé et figé dans les neiges de sa mémoire et qui l'empêche d'avancer : ses souvenirs, son vécu, ses expériences antérieures et tout un agglomérat de fausses certitudes, de vérités infondées, de dogmes factices et autres convictions empruntées qui le conditionnent, l'anesthésient et le paralysent. Or même à ces profondeurs cachées, la lumière parvient à se glisser et à éclairer les zones d'ombre. Elle vient ouvrir le chemin vers une liberté nouvelle.

F J

Grottes de glace,
montagnes de Fjallabak,
Islande, 2019.

121

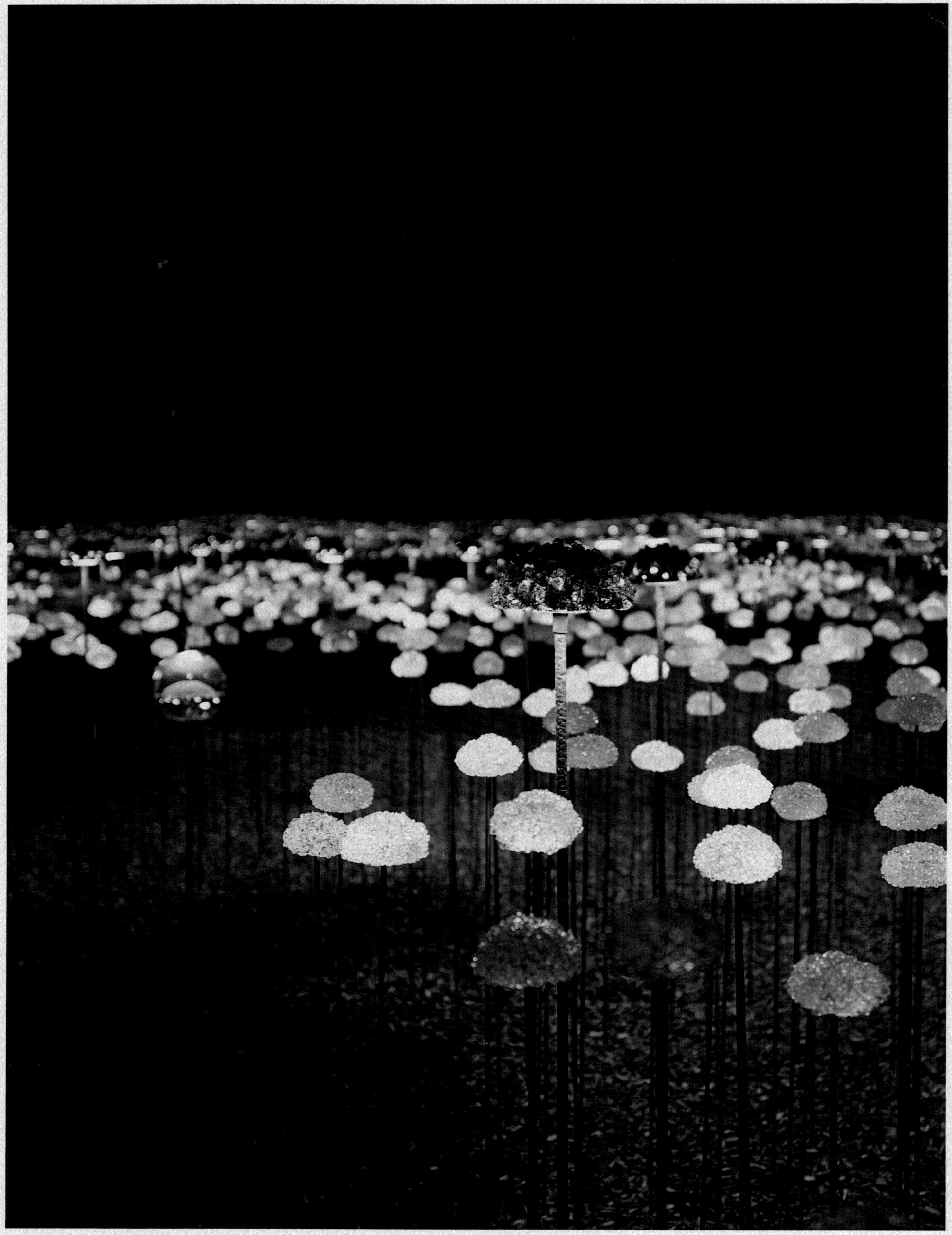

Le chant des possibles

Ci-contre et page suivante :
Le chant des possibles,
projet pour Campredon.

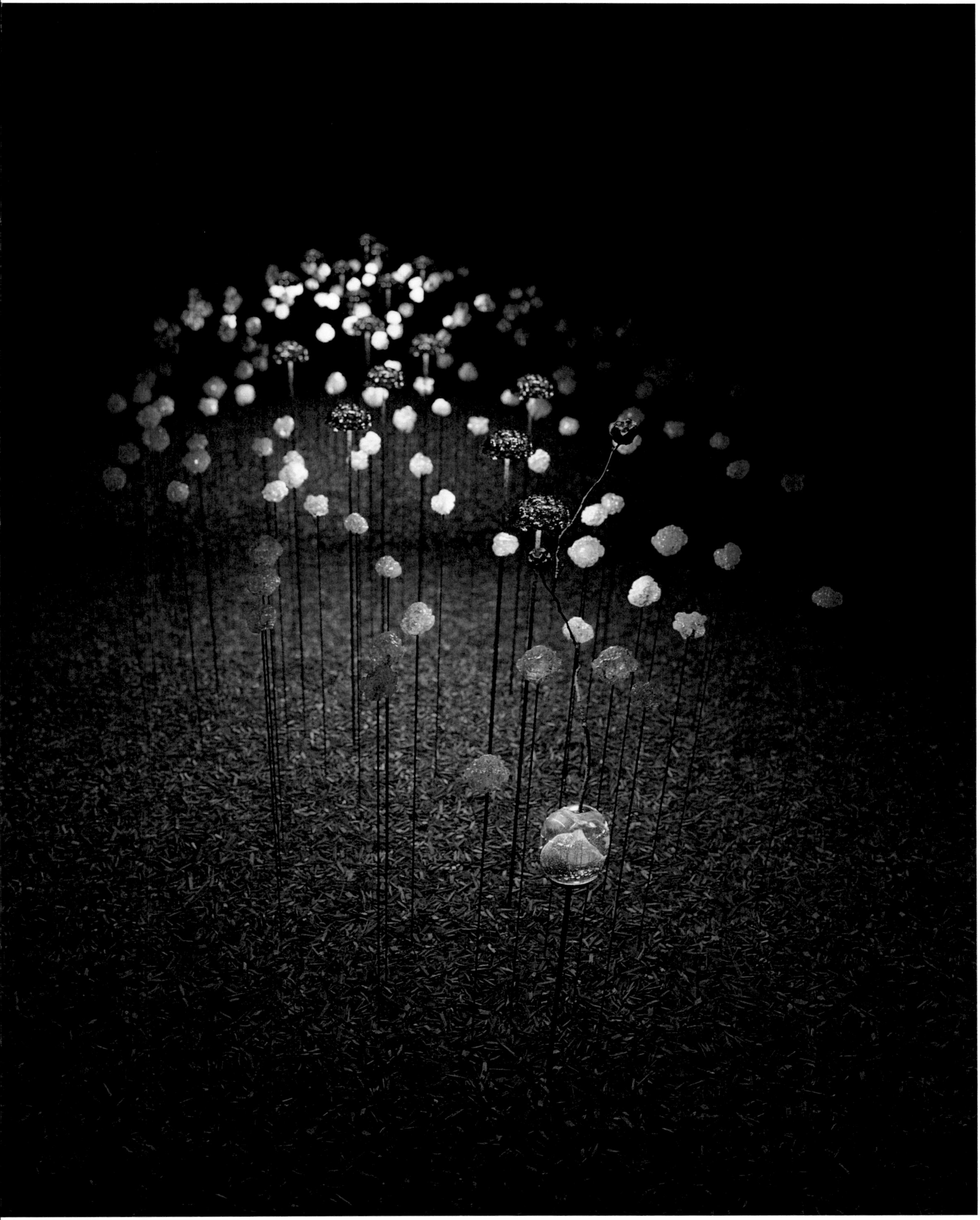

*Dans l'abandon naît la vraie Voix.
Celle enceinte des voix du monde. Celle qui chante
la musique de chaque pierre, de chaque fleur, de chaque visage.
Celle qui éclabousse de la lumière des Mondes Miroirs, versant leurs
mots gorgés de silences. La voix qui se sait libre, parce que liée
à l'intimité du Tout. La voix qui se tait à tue-tête.
La voix dont la tessiture est symphonie.*

Les mers rêvent encore, page 171

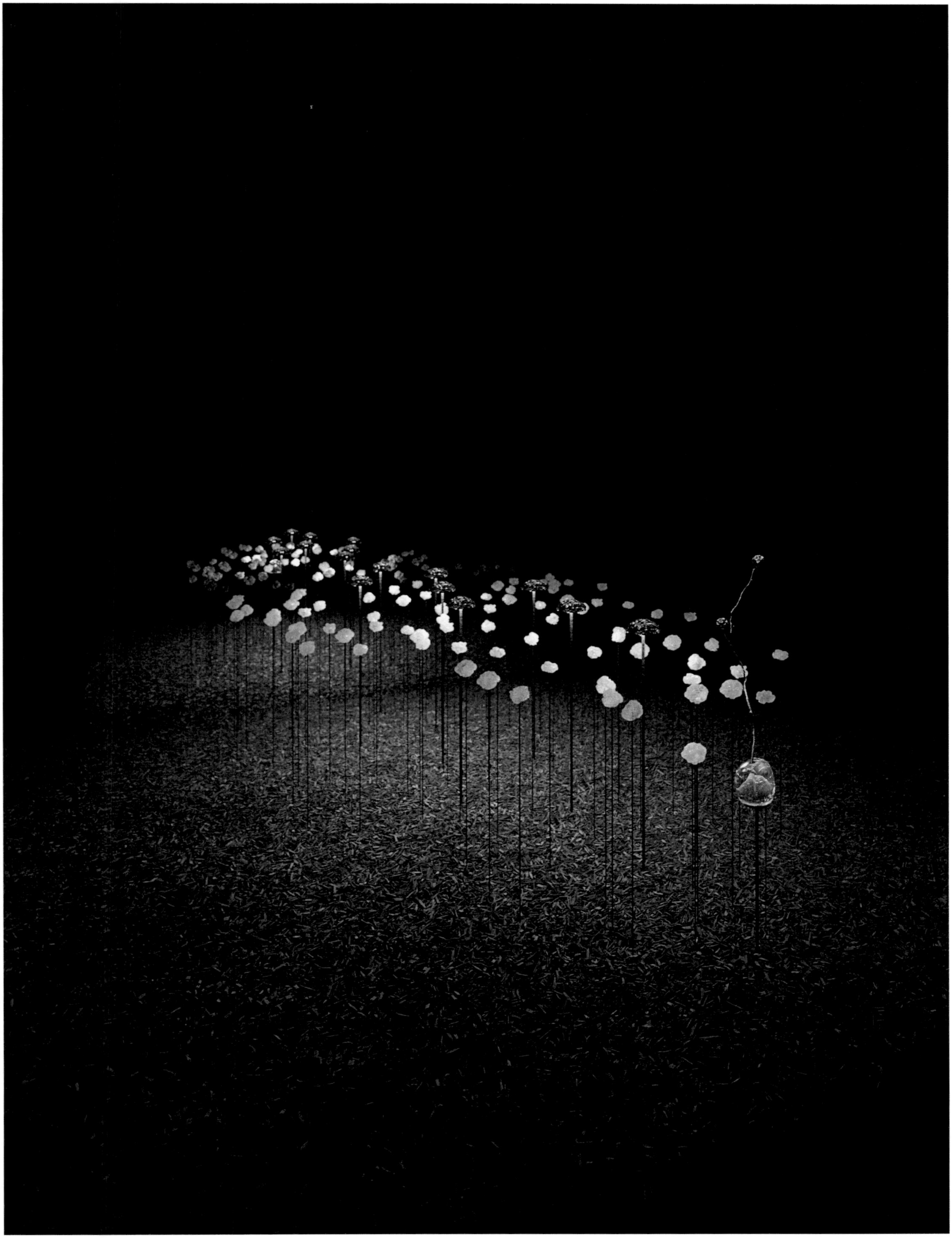

Le chant des possibles :
création 2018.

Pour Campredon :
100 cristaux soufflés
et calcin de cristal,
graine en cristal et bronze,
miroirs, paillage.

Dimensions :
4 m x 4 m. Hauteur 2 m.

Les collines des Alpilles grimpent vers le ciel, et la voûte céleste semble parfois venir les toucher du doigt. Un champ d'aigrettes de pissenlits, illuminé par la clarté lunaire, ressemble alors à une myriade d'étoiles décrochées du firmament.
L'espace est ici piqueté de débris de verre luminescents, comme une pluie de météorites miniatures restées en suspens sur de hautes herbes et disséminées à l'infini, tel un semis de graines porteuses d'autant de promesses de vies nouvelles. Des promesses si ténues encore, si fragiles et légères qu'on aurait presque envie de les souffler en nuages comme les boules duveteuses des dents de lion.
Les miroirs aidant, la fantasmagorie lumineuse se déploie sans limites, constellée des lumignons scintillants de ces petits agrégats cristallins.

A moins que, par les mystères de la confusion des échelles dans laquelle ce voyage nocturne nous entraîne, on ne se retrouve, comme Alice, propulsés dans une autre dimension spatiale et temporelle qui nous permet d'assister à une microscopique danse des particules élémentaires, quasi immobile mais parcourue de frémissements de vie. Retour aux origines donc, mais des origines qui se rejouent en continu dans l'histoire du vivant et qui, par leur modestie même, nous rappellent que chaque détail, aussi infinitésimal soit-il, a sa place et son rôle à jouer dans le grand tout.

Presque rien, pour dire presque tout. Telle est bien la philosophie de l'artiste qui, porté par l'amour du peu, pratique comme une belle ascèse l'économie des moyens artistiques. C'est vrai, tous ses matériaux sont amoureusement et précisément choisis pour être à leur manière toujours beaux, toujours sensuels et toujours signifiants. Vrai aussi que s'il privilégie une grande simplicité et sobriété, elle n'en rime pas moins avec profusion et folle répétition du même, ou du presque même. Et vrai encore que tant les gestes artisanaux que les technologies pointues convoqués dans ses installations sont aussi fins et complexes que sophistiqués. Mais pour être mis au service de l'expression la plus dépouillée, la plus minimale possible. Ce qui n'y est pas

Le chant des possibles,
atelier, 2018.

dit ni décrit ni montré est au moins aussi important que ce qui est donné à voir. Et le vide, les interstices, les espaces entre les choses au moins aussi nécessaires. Afin de laisser la place au rêve, au récit que l'œuvre raconte mezzo voce et au vertige de la mise en abyme qu'il induit. Pour autant, l'immersion dans le chant des possibles n'a rien de virtuel ni de dématérialisé. Ici les fleurs de calcin sont bien physiquement là, avec leurs corolles délicates, leurs reflets et transparences de verre et la poussière lumineuse de leurs LEDS.

Les sciences et les technologies nouvelles toujours plus fines et plus précises sont entrées de plain-pied dans les arts contemporains. Elles sont devenues, pour les plasticiens d'aujourd'hui, des outils d'expression incontournables et des terrains d'exploration et d'expérimentation quasi infinis. Mais le rapport qu'ils entretiennent avec elles reste le plus souvent de l'ordre de l'onirique et du ludique, bien plus proche en tous cas d'un lien un peu magique et fantasmagorique que d'une logique rationnelle et d'une théorie rigoureuse.

Plus que tout autre, les artistes sont les arpenteurs des chemins de traverse. Mais chacun s'invente les siens. Pour ne toucher ici qu'aux phénomènes lumineux, Dan Flavin, Larry Bell ou Robert Irwin dessinent et architecturent l'espace avec leurs traits de néons fluorescents et leurs plaques de plexiglas colorés. Par ses projections lumineuses englobant sols, parois et plafonds, Pipilotti Rist nous immerge dans ses narrations oniriques et sensuelles. Tel un démiurge contemporain, Olafur Eliasson diffuse des brouillards colorés, fait tomber des pluies avec arc-en-ciel et sculpte la lumière en spectacles géants. Stéphane Guiran, lui, a choisi d'être le semeur des possibles, à la fois humble et retenu dans son expression, mais porté par des rêves bien plus grands que lui de féconder le jardin planétaire.

F J

Ci-dessus : graine soufflée à partir de calcin, branche de bronze.

Page suivante : linaigrettes ou cheveux d'anges, Islande, 2018.

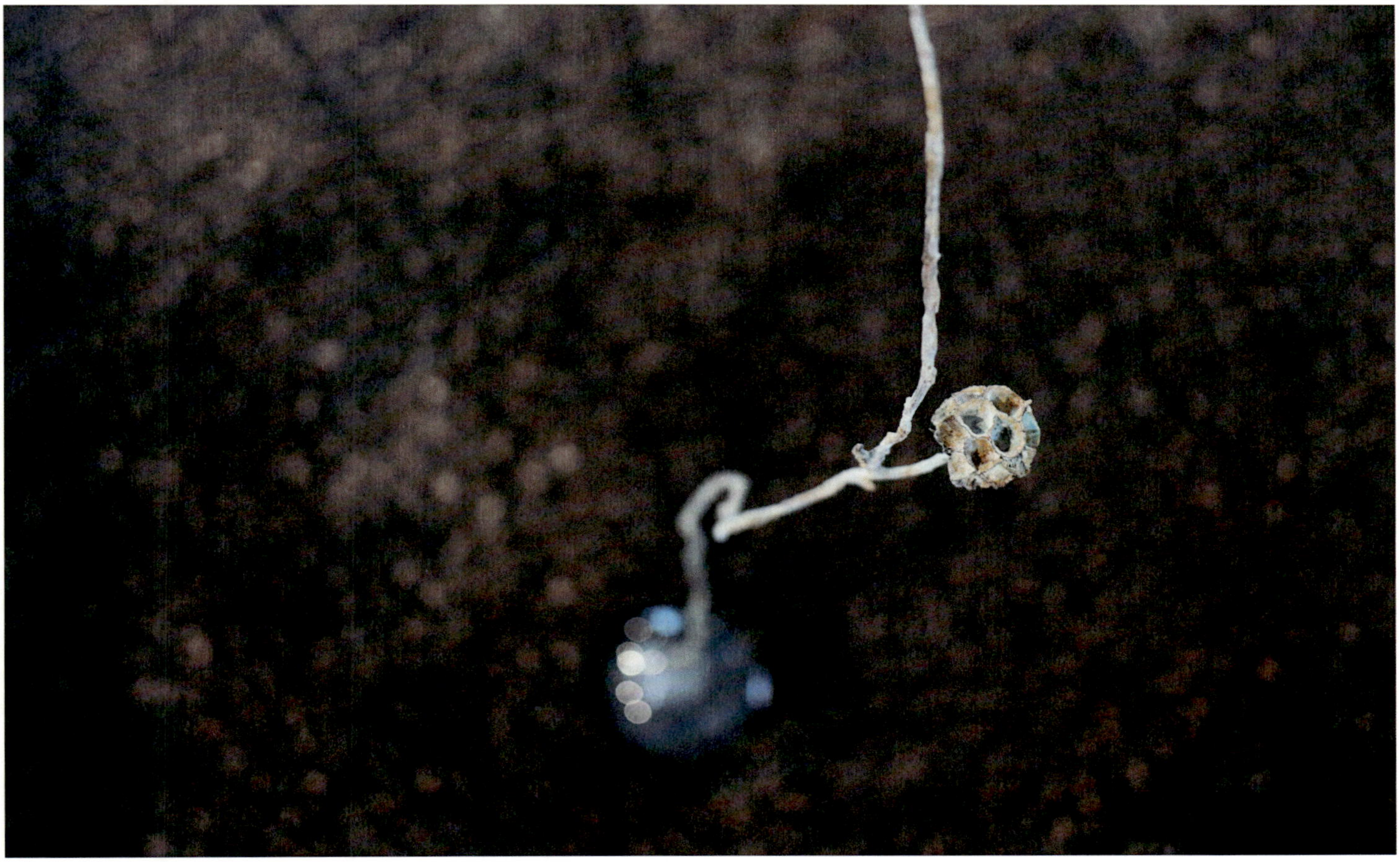

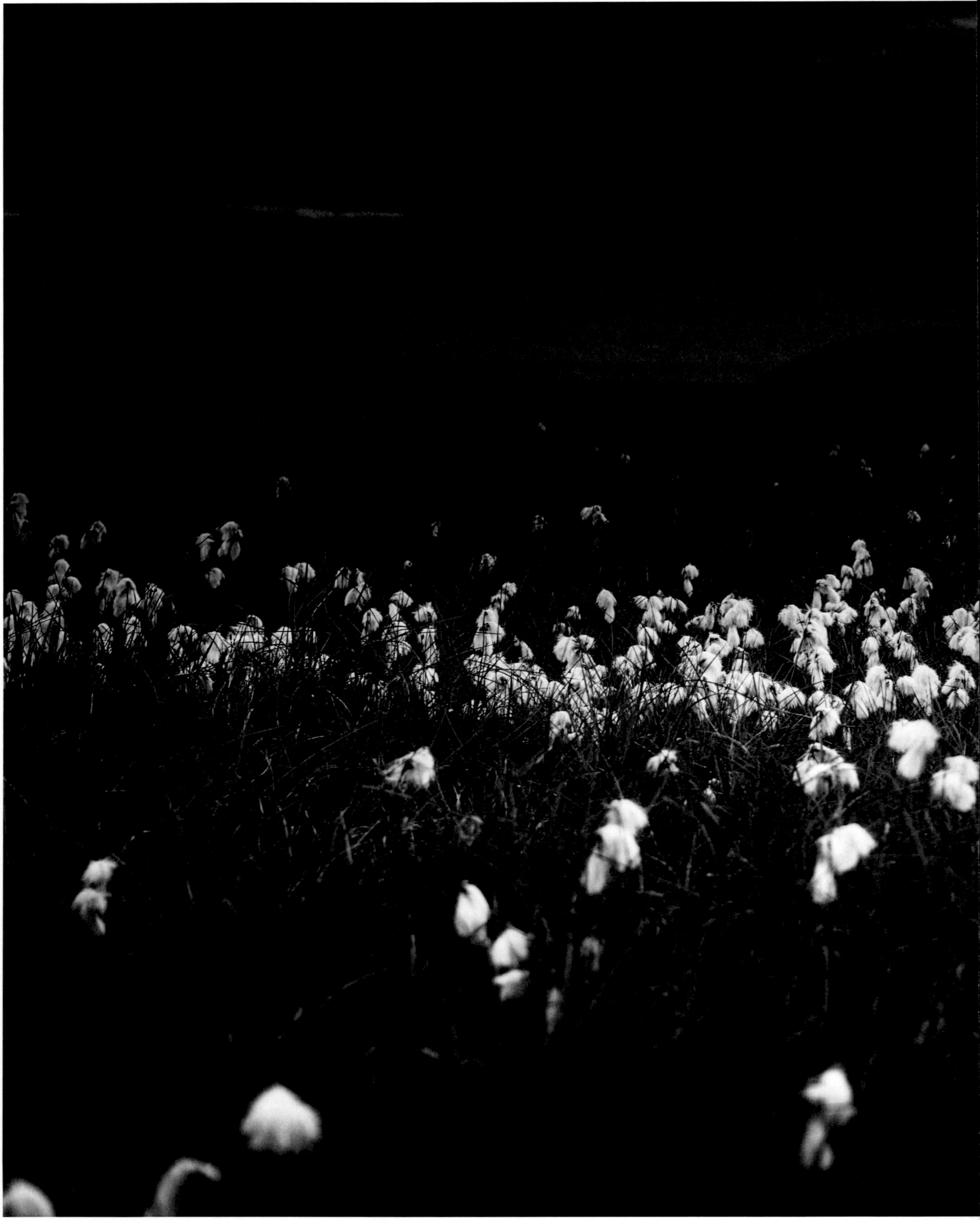

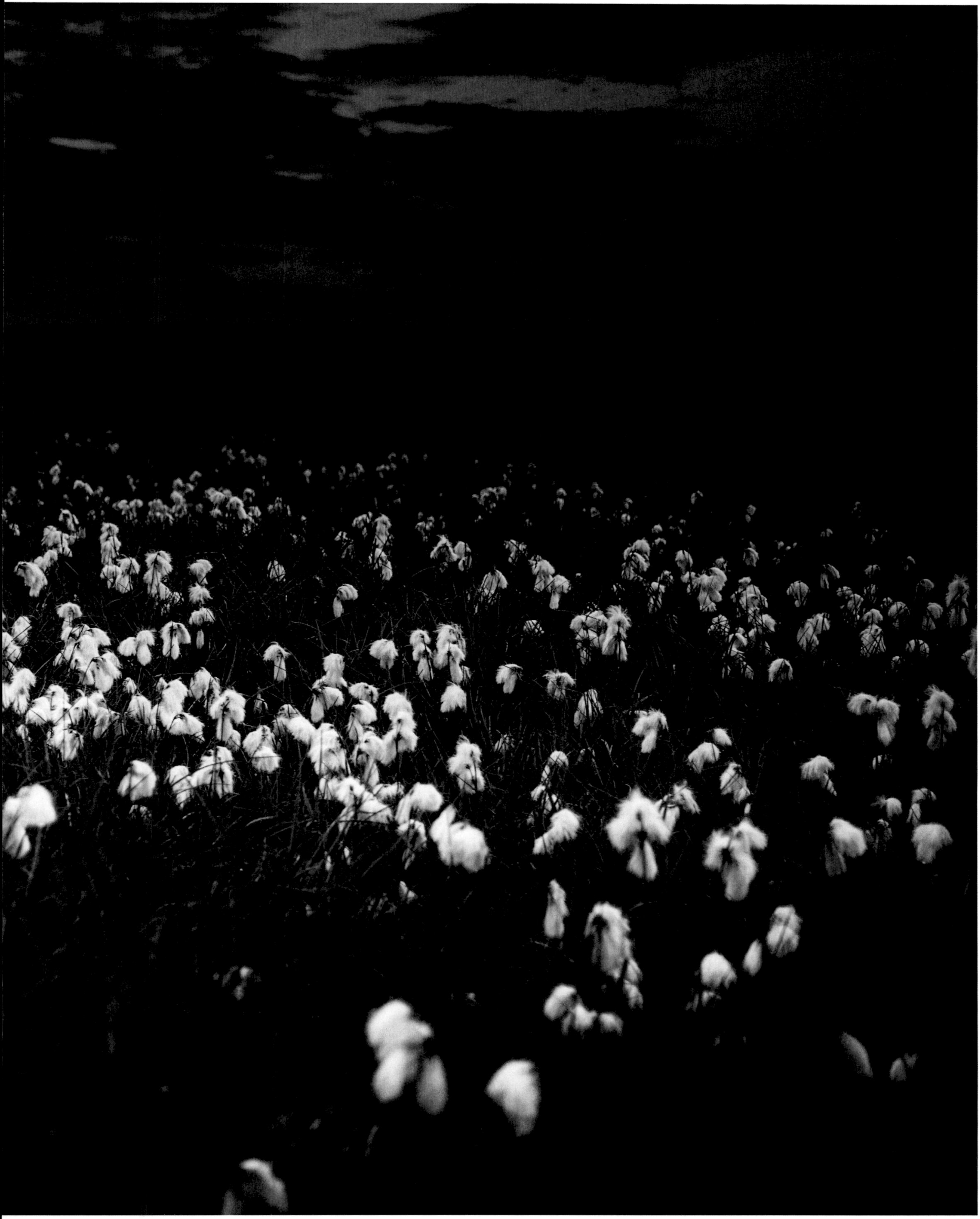

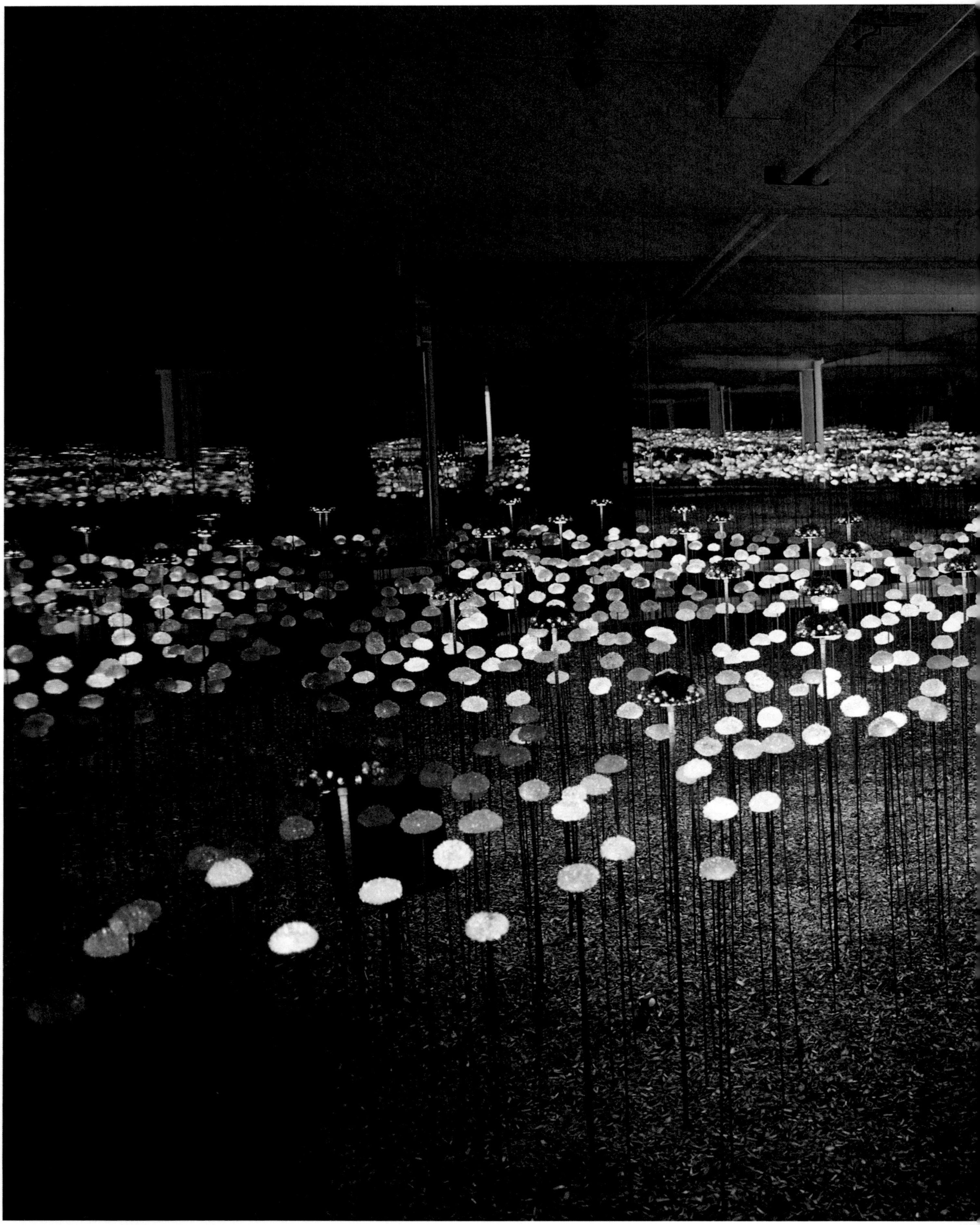

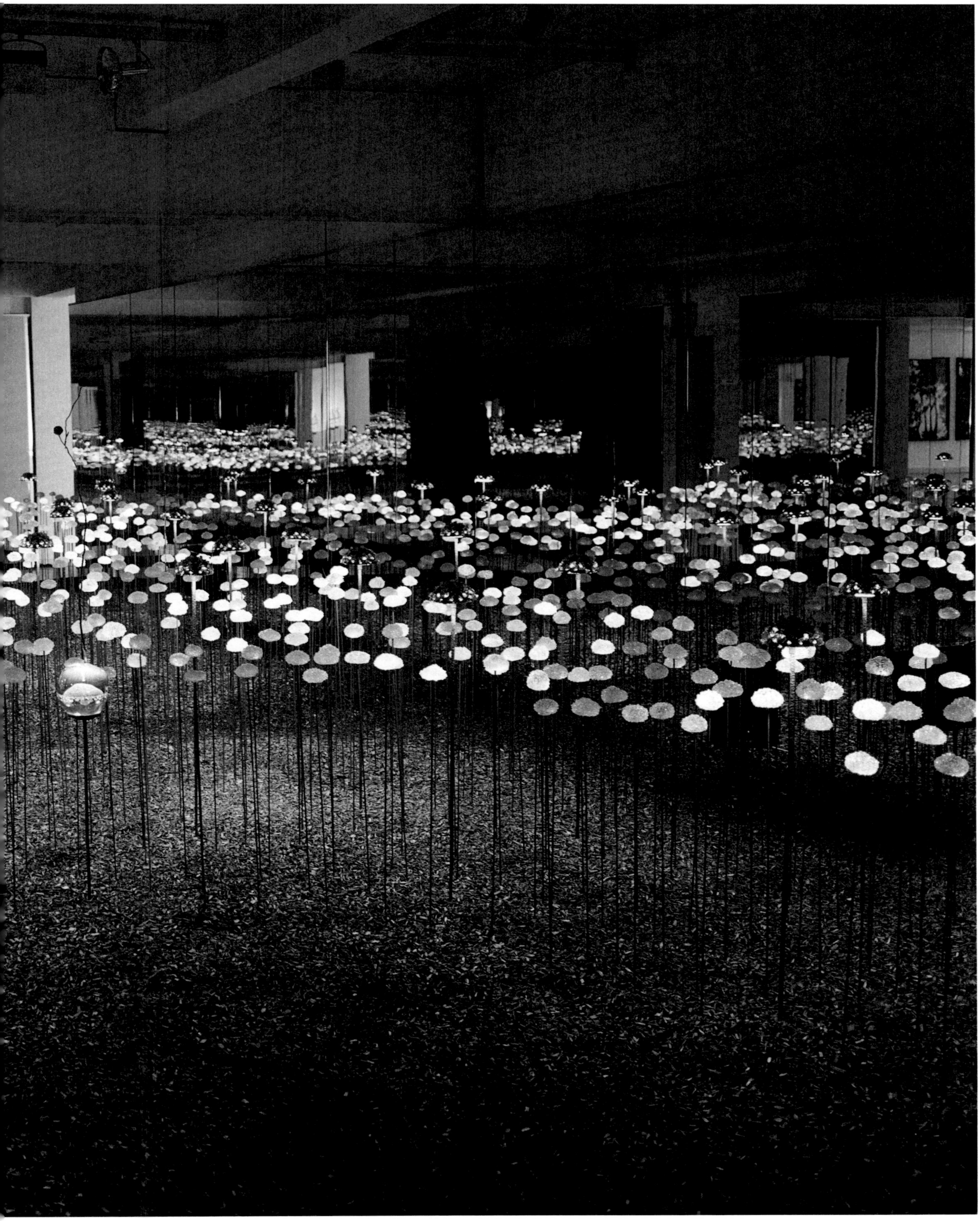

Page précédente : *Le chant des possibles*, galerie Alice Pauli,
exposition personnelle *Les jardins rêvés*, 2018.

Ci-dessus et page suivante : *Le chant des possibles*,
Fondation Fernet Branca, 2018.

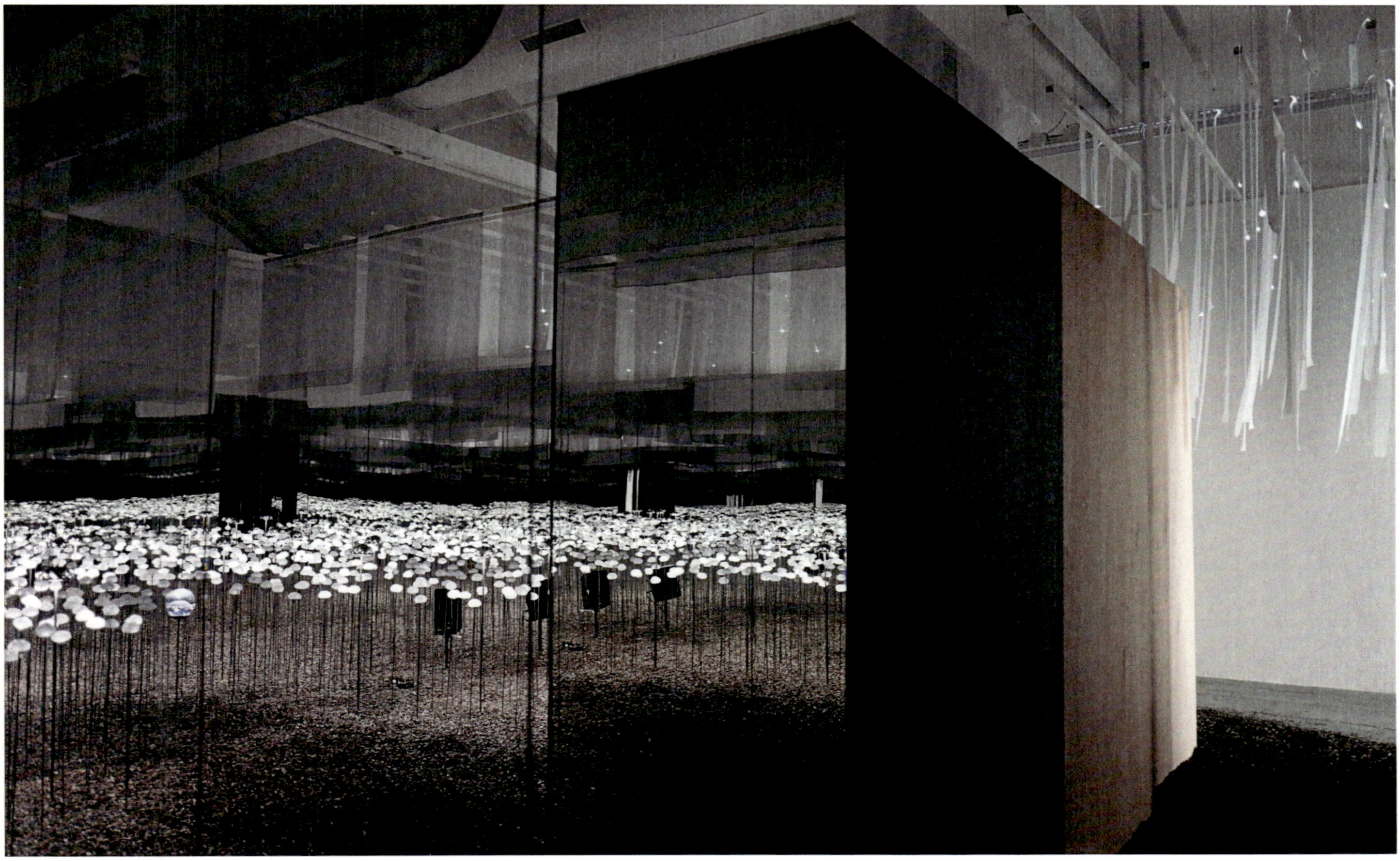

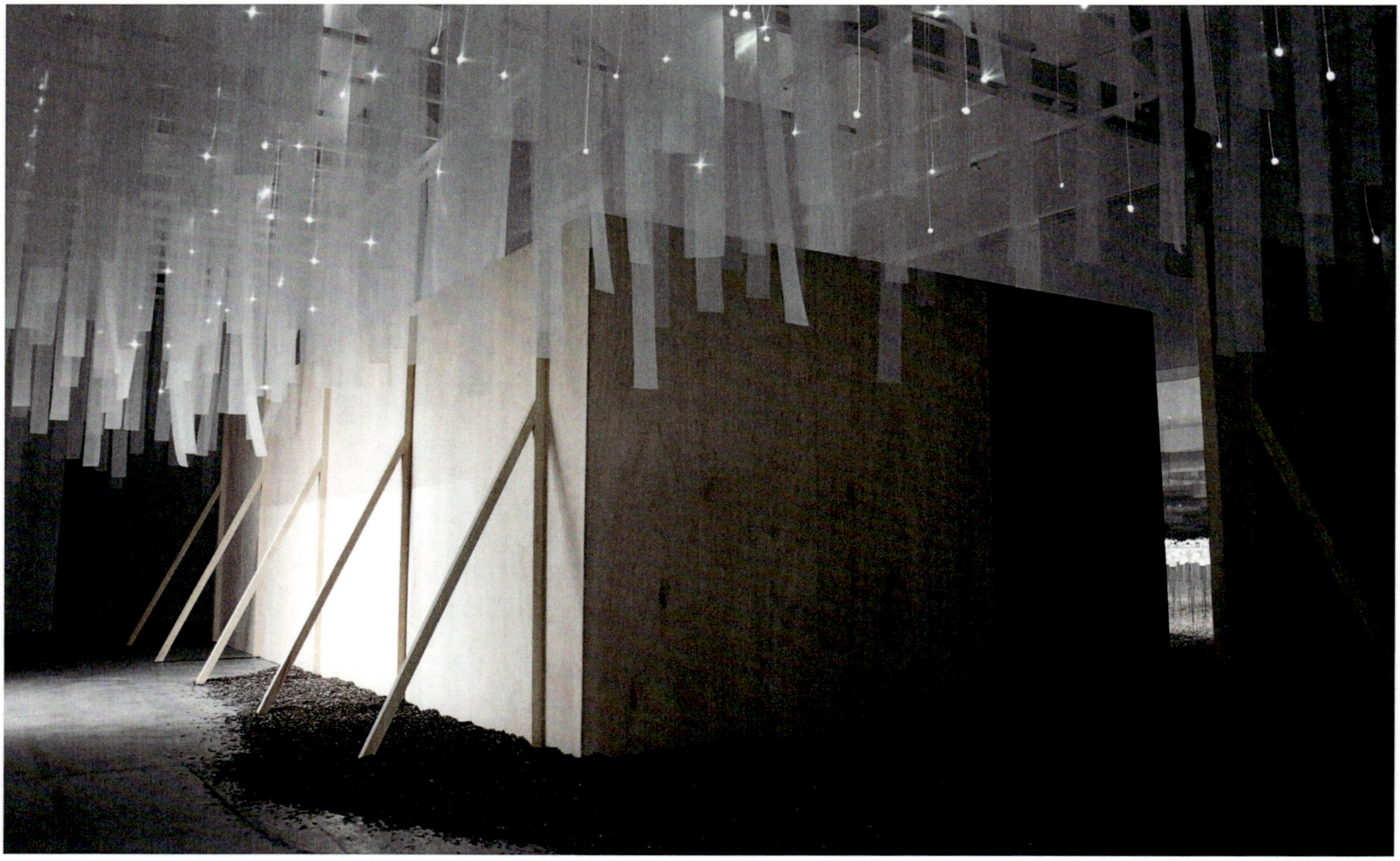

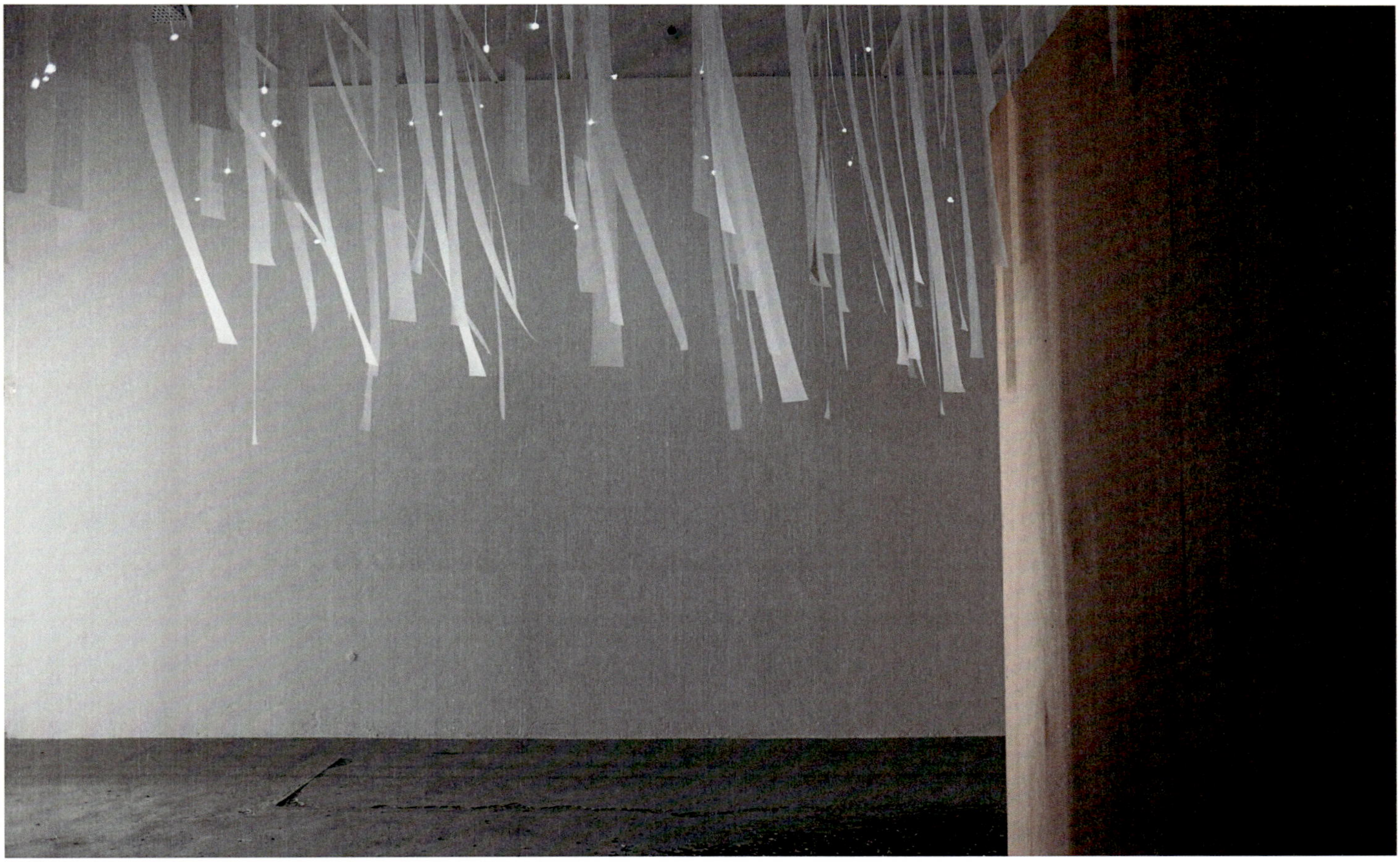

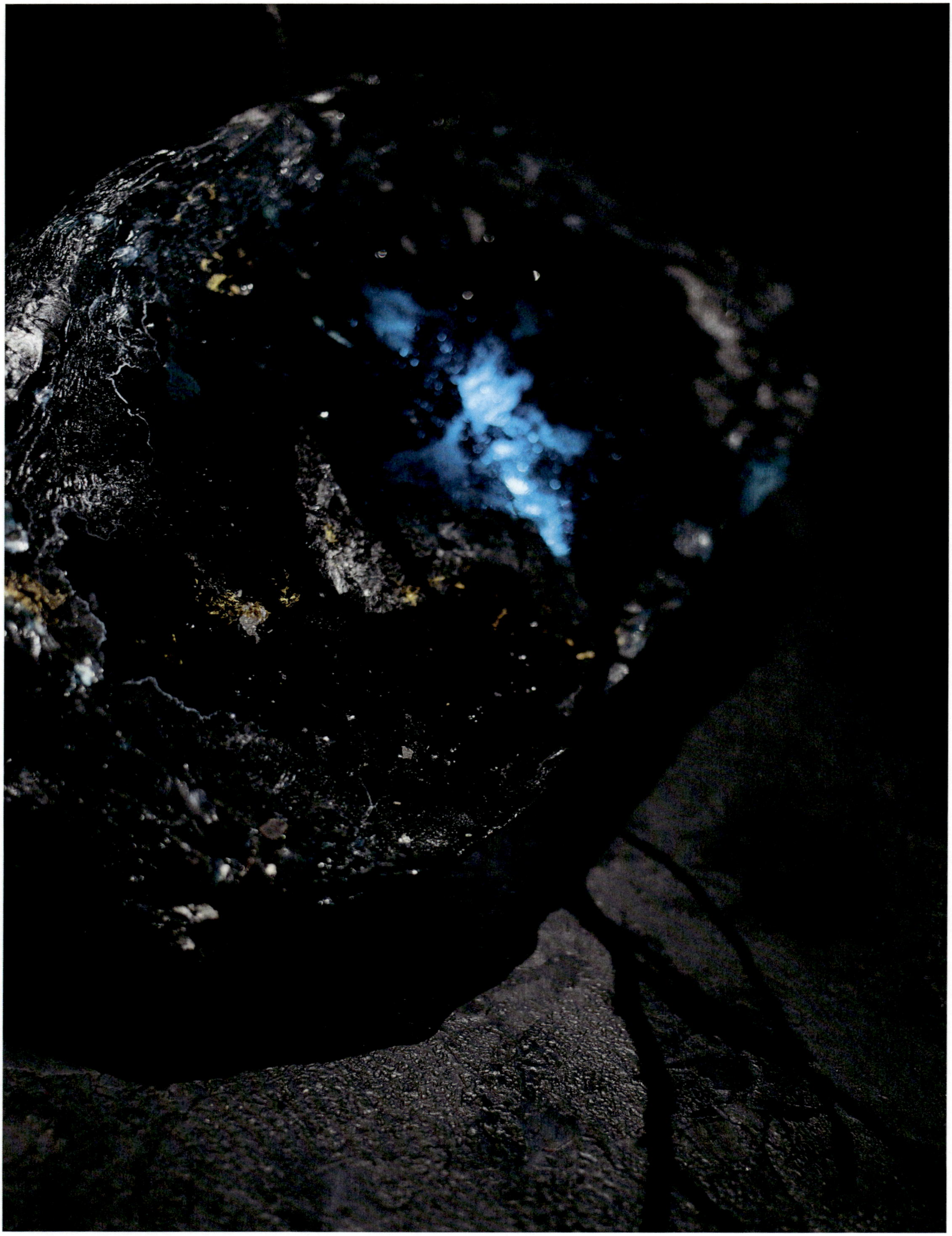

Soie

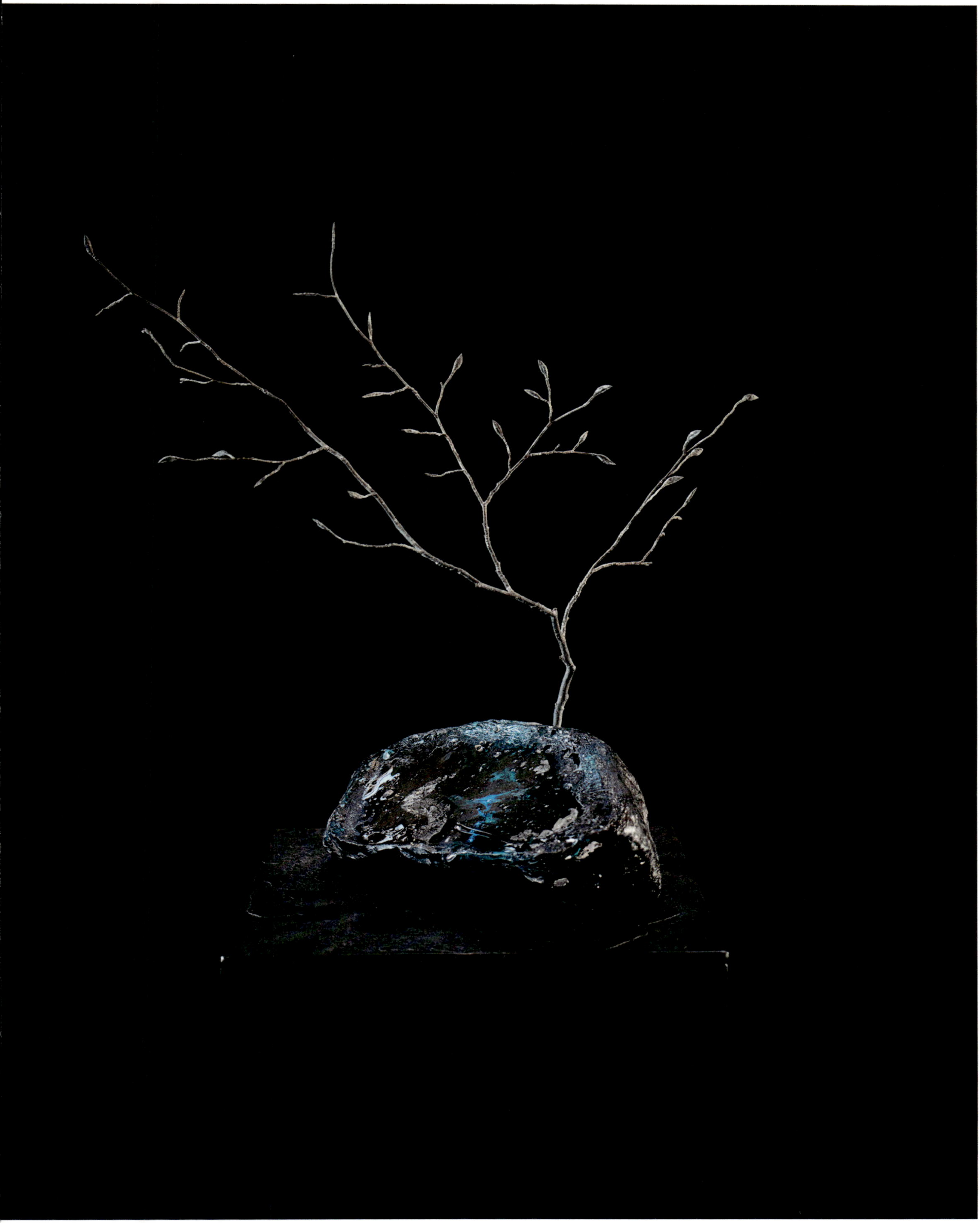

Je ne suis qu'une étoffe de soie sur l'épaule d'un enfant.

Les mers rêvent encore, page 181

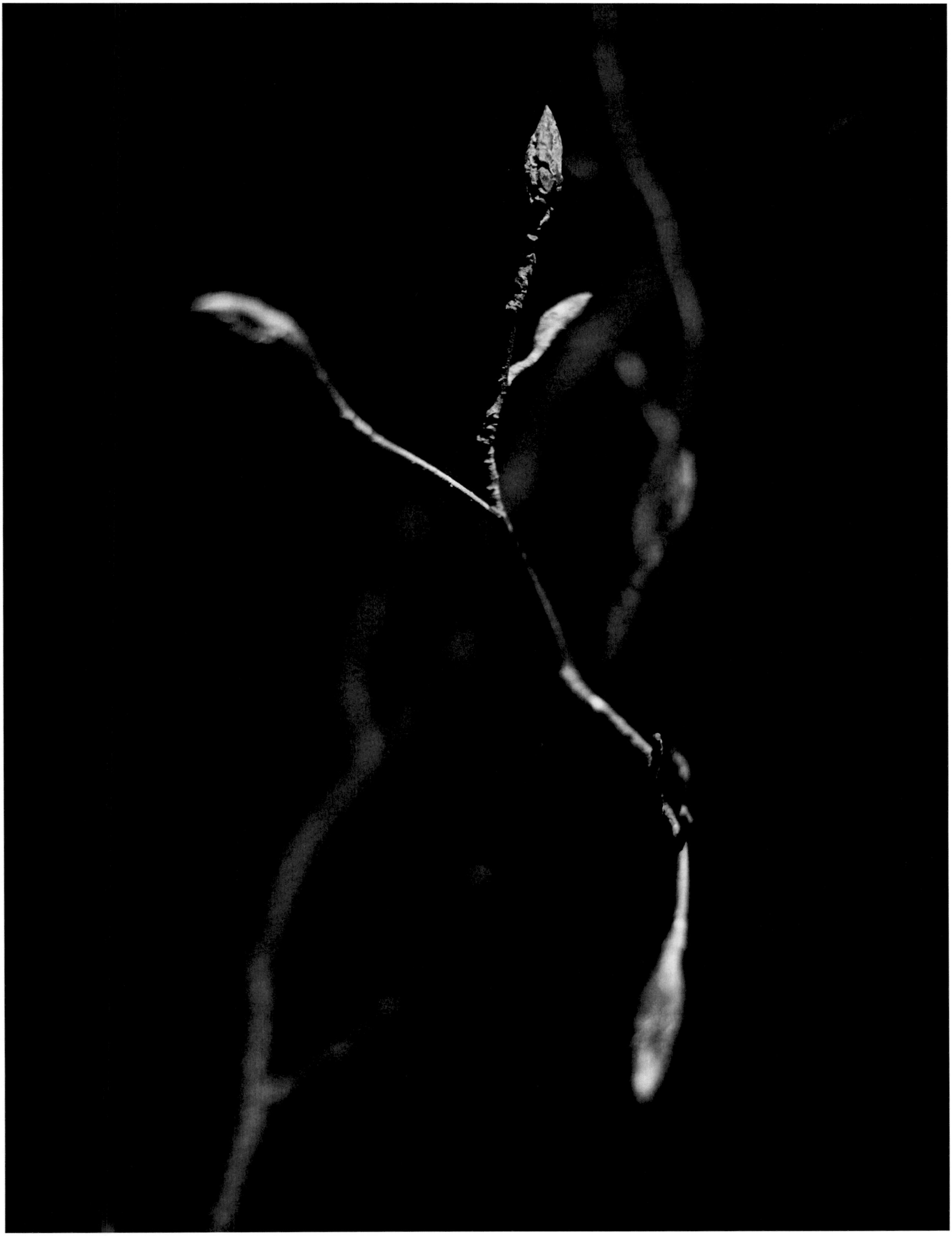

Soie :
création 2020.

Cristal fondu à partir de débris industriels (calcin de cristal, aluminium, fer). Recuisson dans la terre, avec feuilles d'or. Branche en bronze.

Dimensions :
55 cm x 50 cm. Hauteur 60 cm.

Le voyage arrive donc à son terme. Le rêveur de mers et de terres lointaines a rejoint sa colline, sa besace d'homme remplie d'aventures, d'expériences et d'épreuves nouvelles, son corps lesté de sensations et d'émotions inouïes, son regard lavé par les embruns du grand large. Le voilà prêt à redécouvrir son coin de terre, et prêt surtout à repartir. Car le voyage intérieur n'a pas de fin. Il n'a pas non plus de chemin, le chemin se fait en marchant, il se crée en naviguant, et plus il mène vers l'intime, plus il touche à l'universel ; plus il s'approche du fragment, plus il se fond dans le grand tout.

C'est à travers son périple que le pèlerin au long cours apprend à habiter l'espace, habiter le temps ou, comme le résume si bien Hölderlin, « habiter poétiquement le monde » chaque jour comme si c'était le premier. « Il y a, écrit Christian Bobin (*La présence pure et autres textes*, NRF Poésie/Gallimard, 2008), une naissance simultanée de nos yeux et du monde, un sentiment de « première fois » où ce qui regarde et ce qui est regardé se donnent le jour ».

A cette découverte de soi, l'artiste associe, par l'ajout d'une petite voyelle muette, l'idée symbolique de la soie. Le soi et la soie ainsi reliés, sa navigation prend des airs de mythique route de la soie comme voie de transit des échanges, des idées et des rencontres, et avec le fil de soie pour fil de vie qui tisse ses nuits et ses jours, ses ombres et ses lumières, ses pleins et ses vides, ses silences et les voix des autres. Sécrété par la chenille du bombyx, le fil détourné de sa métamorphose naturelle – la chrysalide – en permet une autre : la précieuse fibre. A sa manière, la transformation renvoie au mystère de la transmutation invoquée par l'alchimie. Car voici que la dernière étape – provisoire – du voyage fait surgir une vision de pierre philosophale, comme métaphore de la quête essentielle. « Il est vrai, reconnaissait Bernard Le Bovier de Fontenelle au tout début du XVIIIe siècle, qu'on ne peut trouver la pierre philosophale, mais il est bon qu'on la cherche ». Comme un idéal inaccessible qu'il ne faut jamais perdre de vue, la poursuite éperdue d'une forme de grâce.

Née de la fusion de techniques chimiques gardées secrètes et de spéculations mystiques, l'alchimie médiévale n'a pas dit son dernier mot. Nombre d'artistes des XXe et XXIe siècles restent habités par son rêve de transfiguration mystérieuse : tel Yves Klein, le chercheur mystique en quête d'immatériel et d'absolu qui, au milieu du siècle dernier, recourait au bleu outremer et à l'or comme symboles de passage vers l'idéal ultime ; à la même époque, Jackson Pollock inspiré, lui, par la puissance des émotions spirituelles des rituels indiens, s'immerge dans ses grandes toiles en chaman qui donne vie à la matière ; dans les années 1960 et 1970, Joseph Beuys, le thaumaturge héritier des théories du père de l'anthroposophie Rudolf Steiner, et du spiritualisme de Goethe et des romantiques allemands, tente de s'approcher de l'énigme ésotérique qui lie l'esprit et la matière ; Anselm Kiefer – qui fut son élève – se met dès 1980 à recourir régulièrement au plomb qui renvoie à la magie noire et fait de son art un exorcisme qui passe par la sublimation de la matière ; obsédé par l'idée de la métamorphose, Jan Fabre ne cesse de l'explorer et de l'invoquer à travers les matériaux et médias les plus divers pour chercher à aller au-delà des limites du corps et de la connaissance ; quant à Ragnar Kjartansson, c'est depuis 2010 qu'il se révèle en mage conceptuel et poétique dont les œuvres transdisciplinaires imbriquent étroitement le banal avec le sublime.

Stéphane Guiran joue les alchimistes lui aussi, ou les apprentis-sorciers qui expérimentent des pratiques que les spécialistes considèrent impossibles, illustrant la fameuse phrase de Mark Twain : « Ils ne savaient pas que c'était impossible, alors ils l'ont fait ». Après avoir découvert dans ses Alpilles, où il aime à méditer, un rocher qui correspondait exactement à ce qu'il cherchait, il en a fait un moulage en terre cuite, l'a rempli d'un curieux mélange – peut-être un peu magique – de matériaux de récupération : calcins de cristal, peau de fer, aluminium, terre et feuille d'or, et l'a fait cuire en deux temps pendant deux semaines entières.
Puis il a ramassé au bord du chemin une branche cassée encore pourvue de ses

bourgeons, l'a fait fondre en bronze et l'a recouverte d'une patine la plus naturelle possible, histoire de montrer que malgré la fracture, la vie est toujours là et que la chute aussi fait partie du chemin.
La sculpture qui en résulte est un grand bloc minéral de cristal qui, au cours de sa très longue cuisson, a pris la texture de la terre. Il évoque un noyau dur originel d'où émerge un fin rameau, comme la promesse d'un éternel renouveau. Quant à la feuille d'or qui y a clairsemé quelques minuscules paillettes et à l'énigmatique lumière bleutée qu'une petite LED invisible fait étrangement sourdre à sa surface, elles renvoient à l'espace, à la grande respiration du monde, à la totalité dont nous faisons tous partie, aux corps célestes et à une dimension véritablement cosmique.

FJ

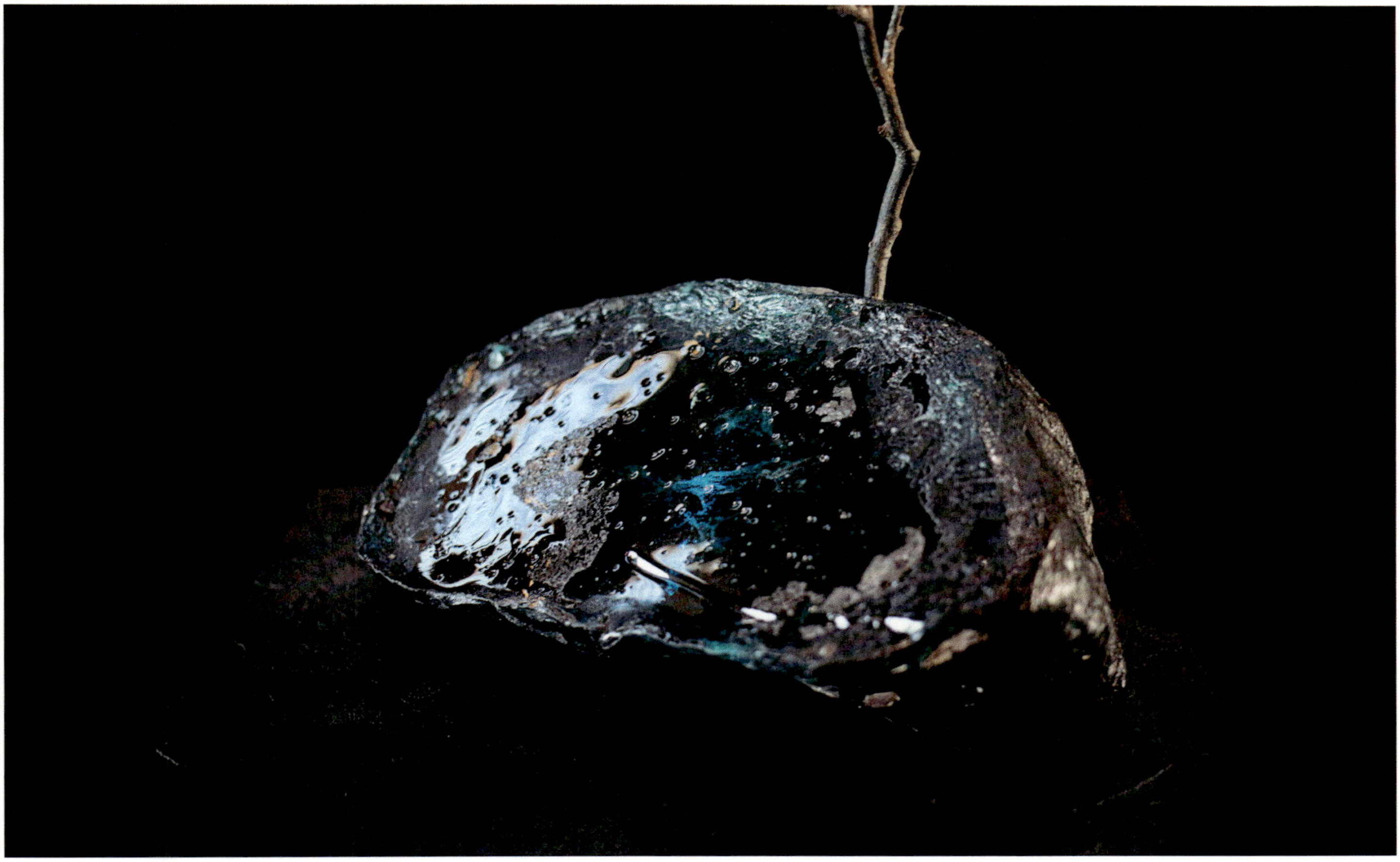

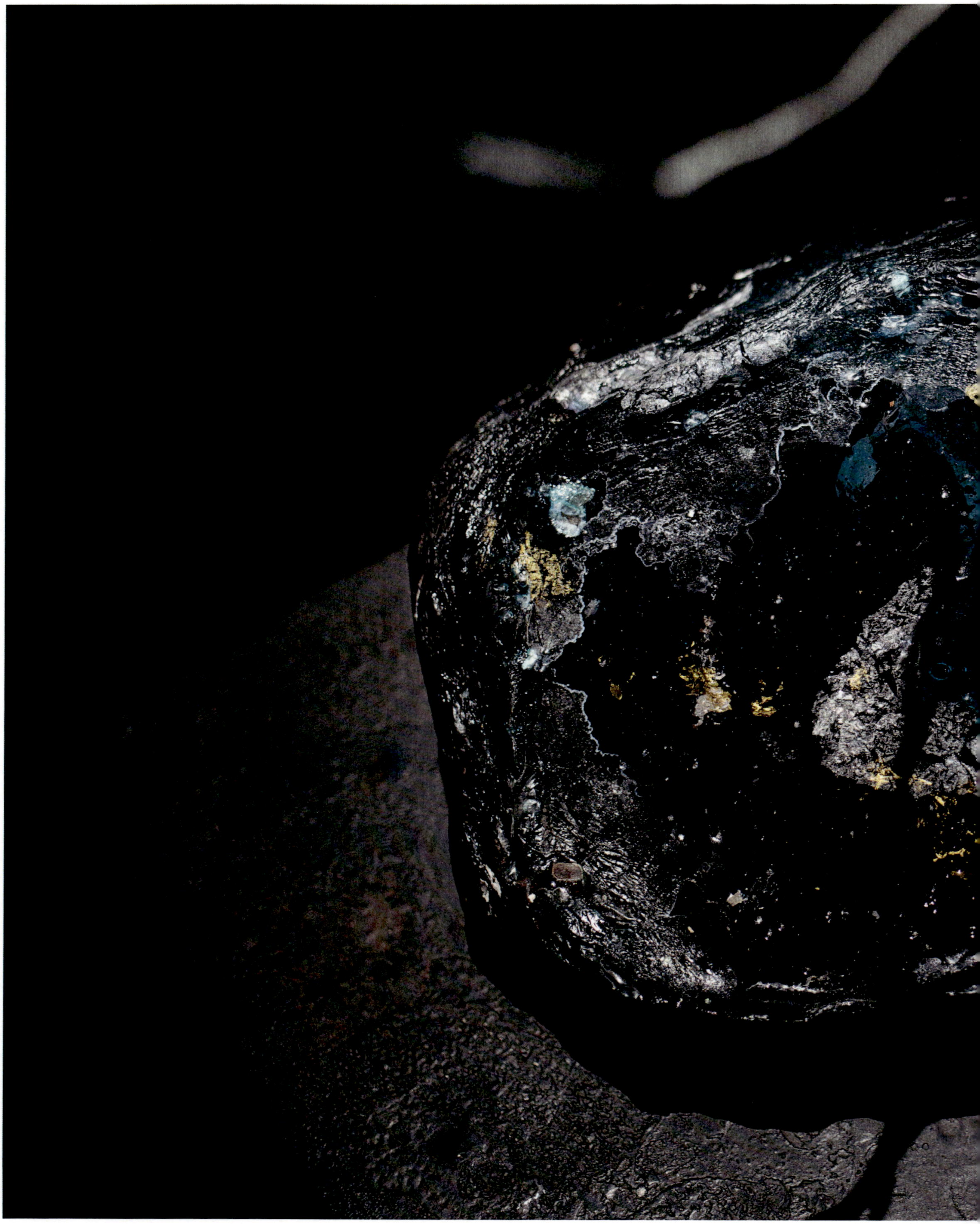

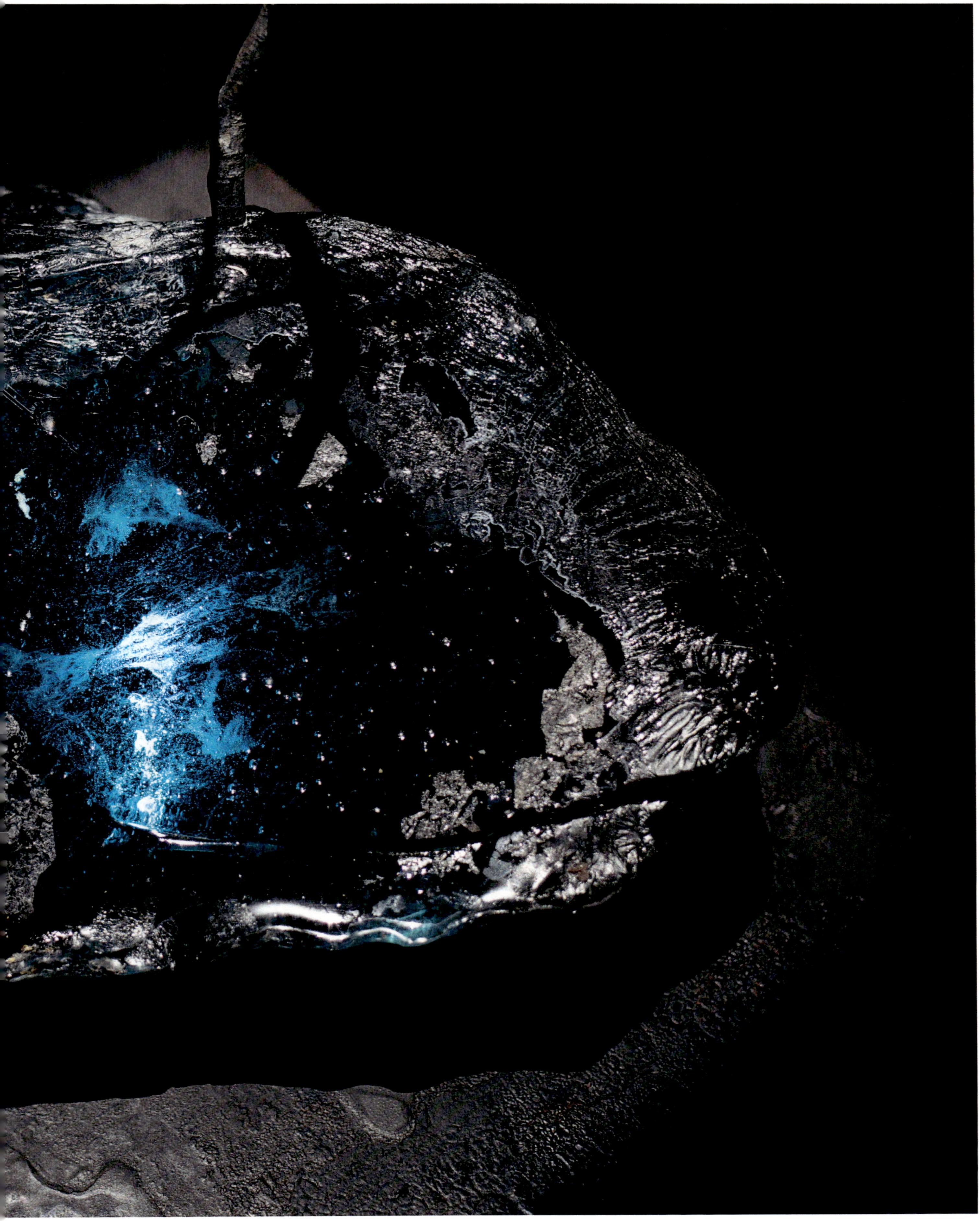

*Dérive à cœur ouvert dans l'océan de la matière.
Des vagues d'atomes me portent sur les plis d'une étoffe de silence.
Ses fils de Soie transportent les Voix Liées. Reliant planètes.
Voies lactées. Forêts de galaxies.*

Les mers rêvent encore, page 181

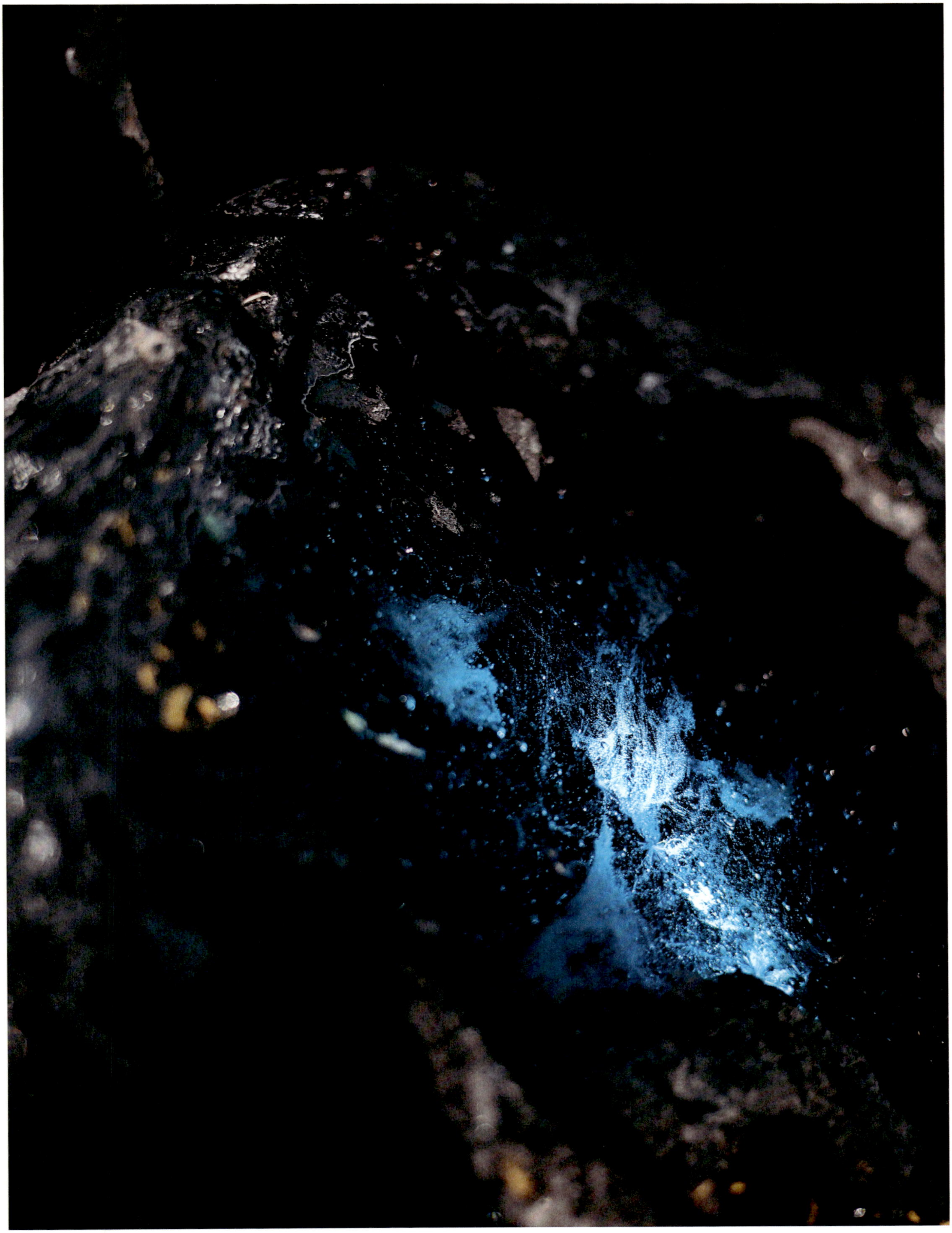

Ci-dessus : calcin de cristal, récupération de cristallerie française.

Ci-contre : calcin et matières à recycler, moule de terre.

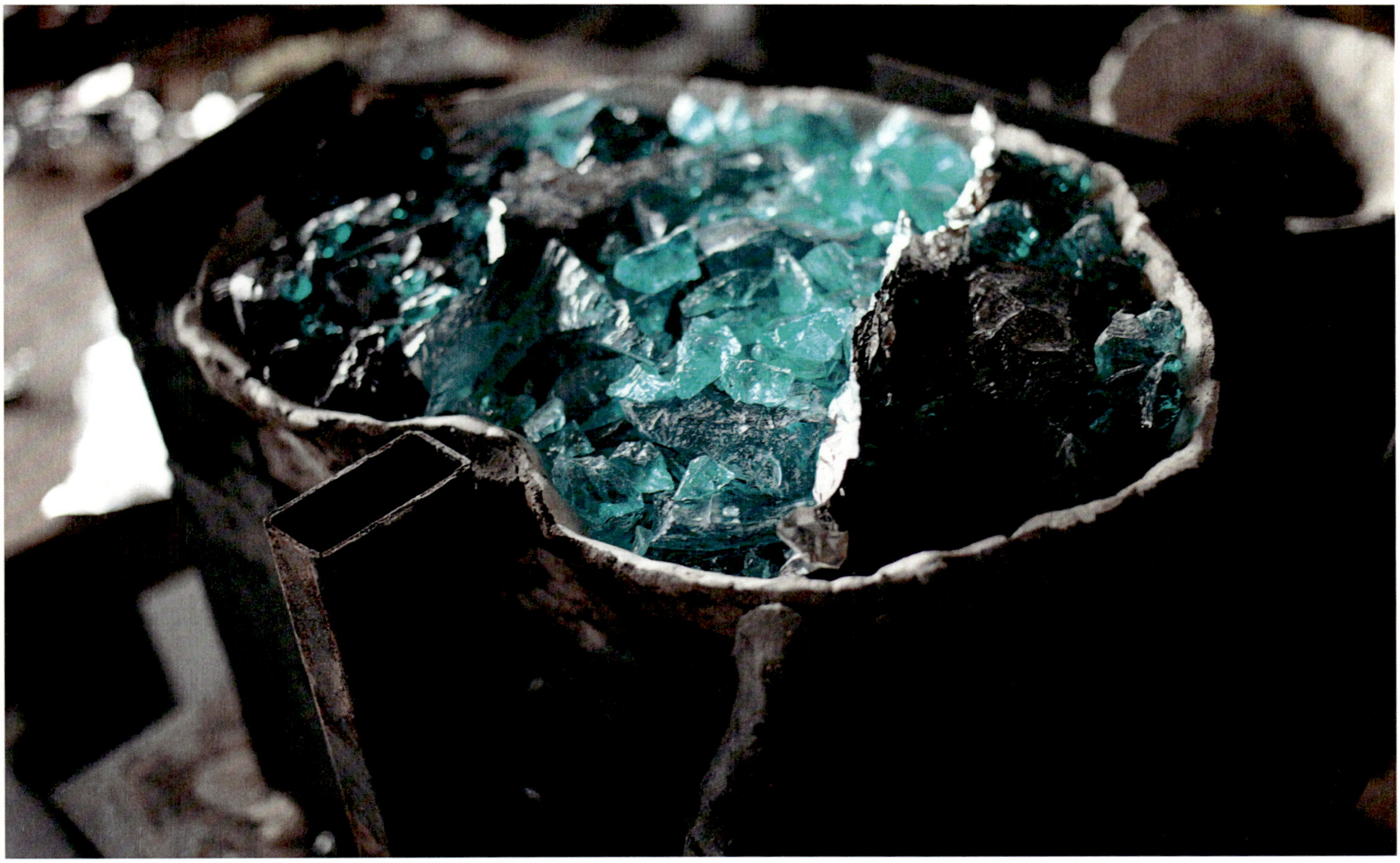

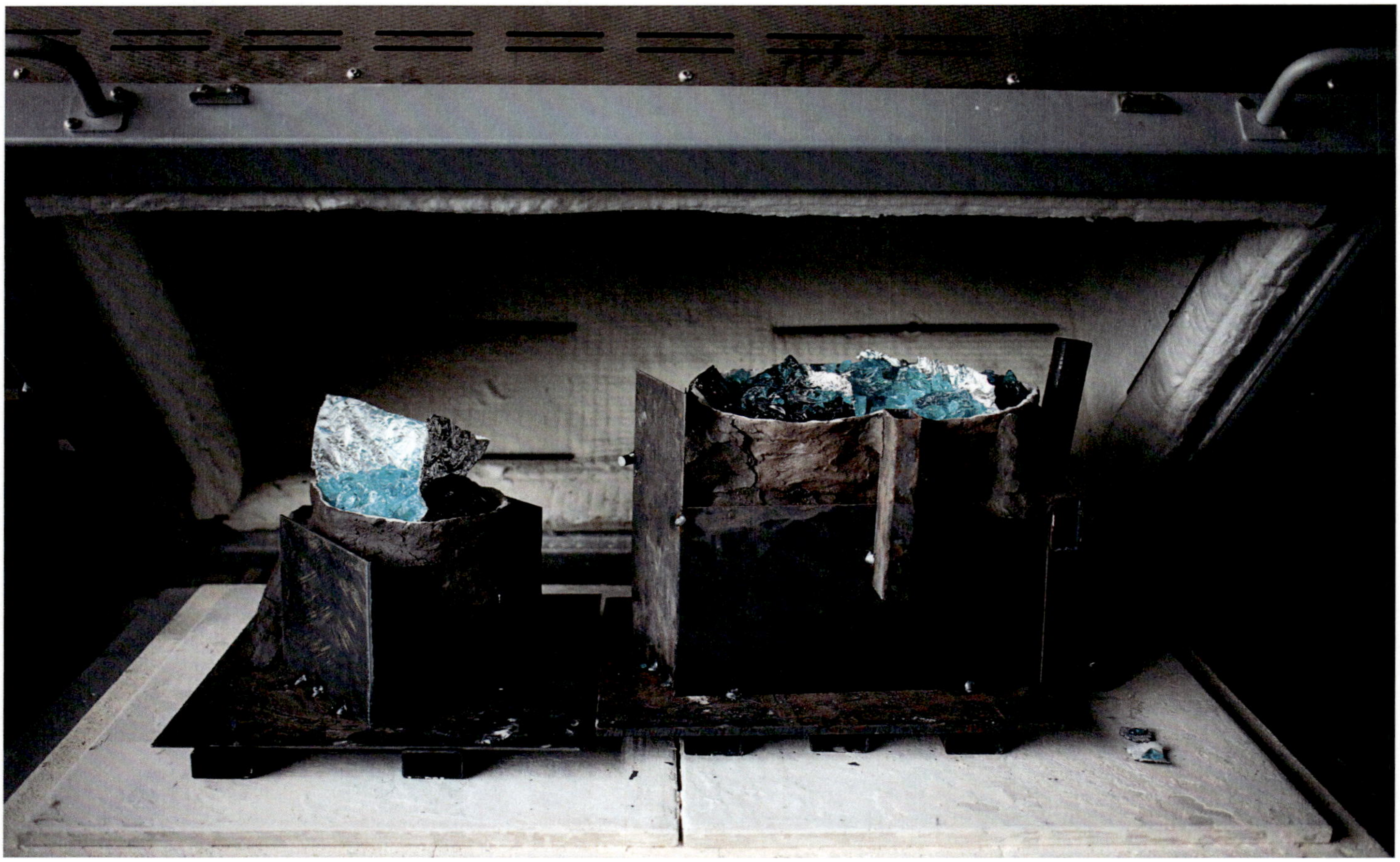

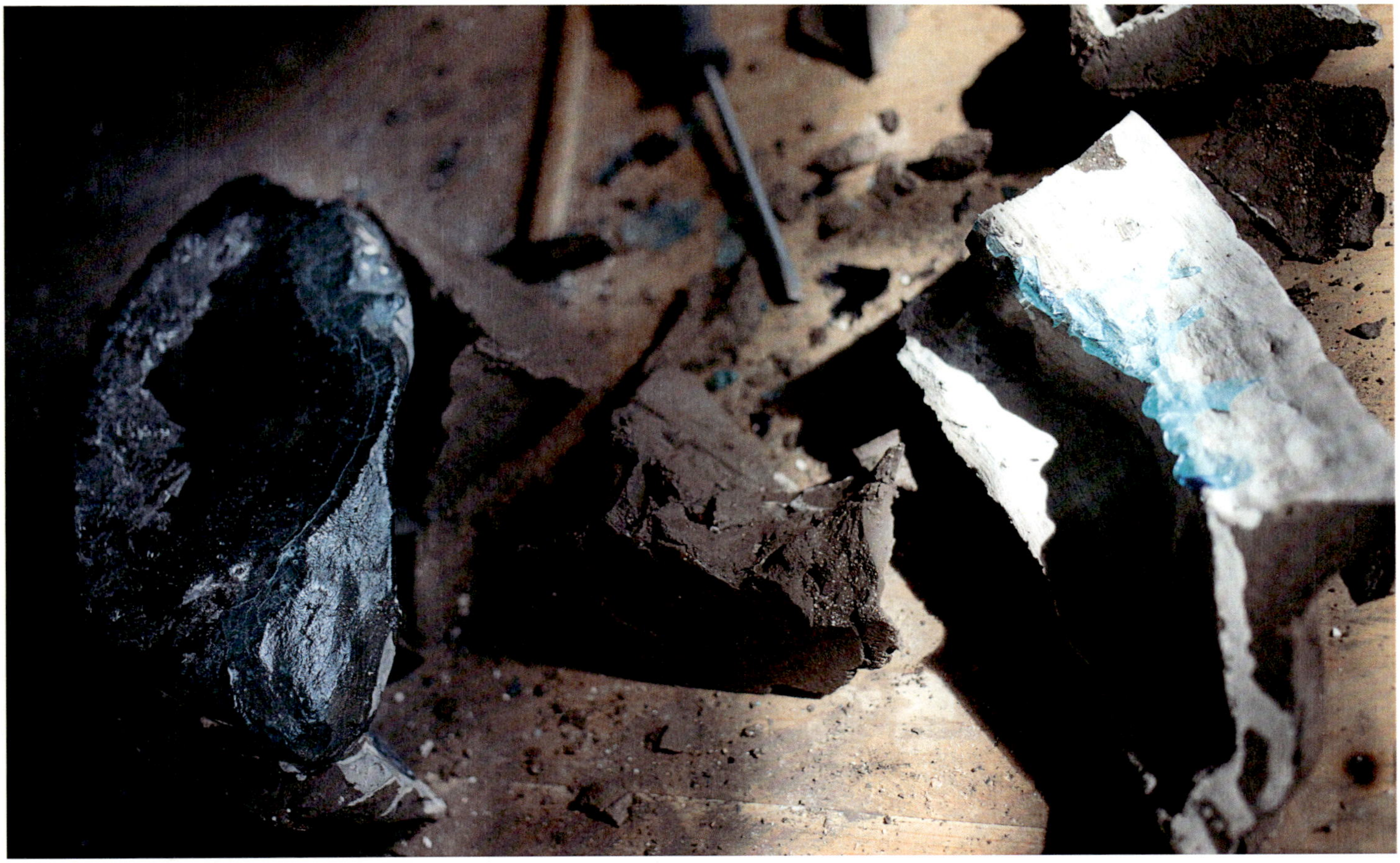

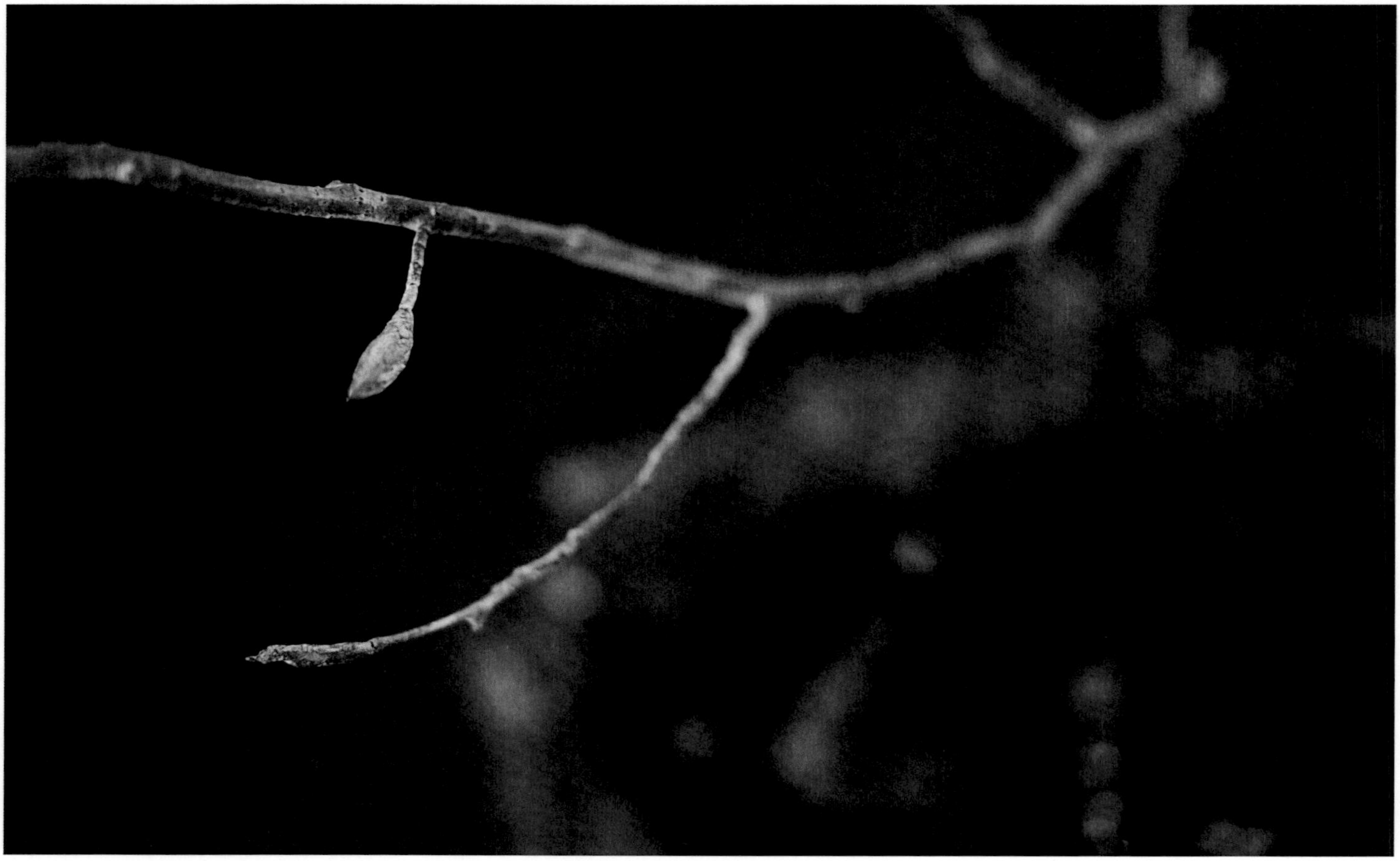

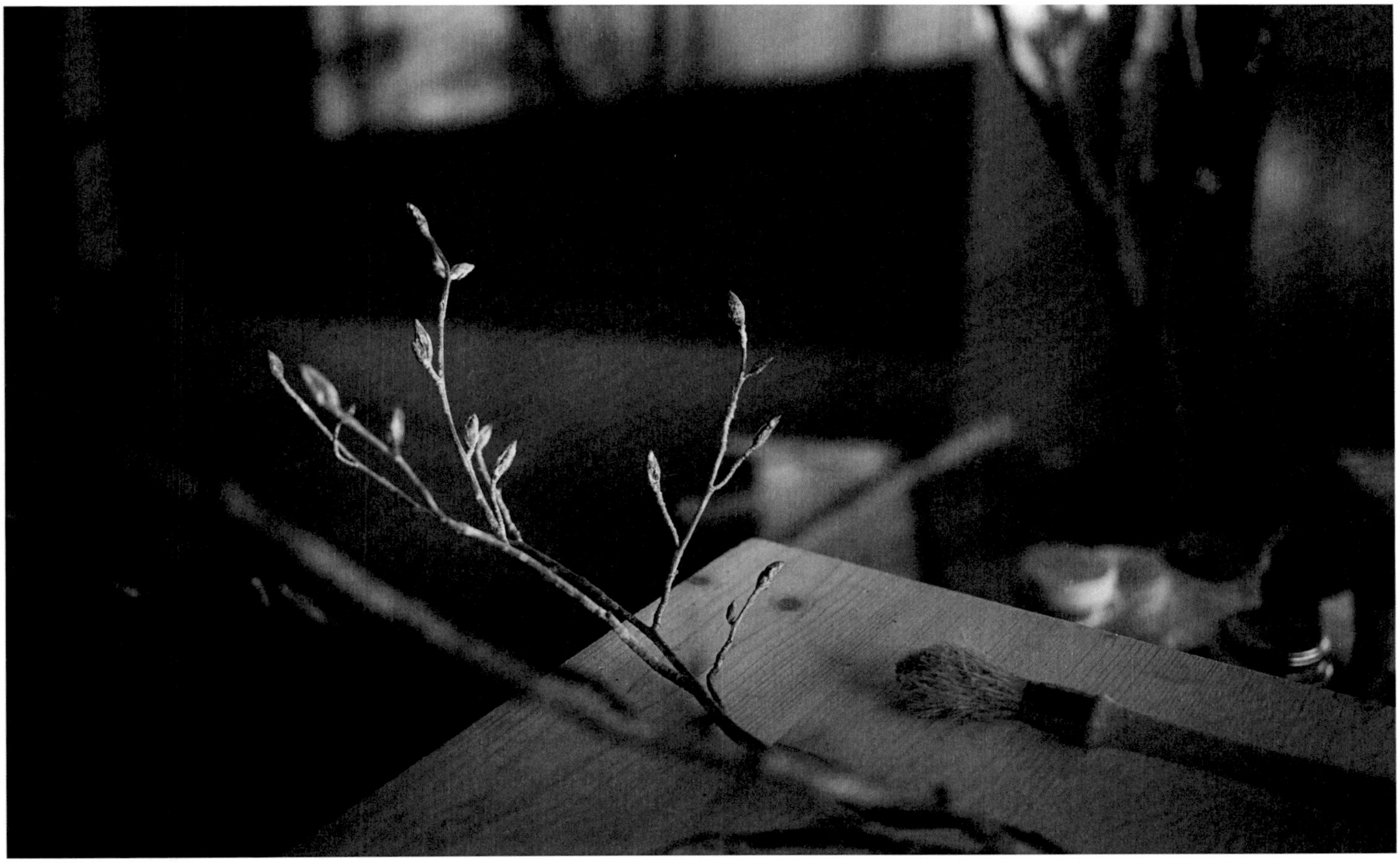

Ci-contre :
Plaines du nord,
Islande, 2018,
série *Respirer l'horizon*.

Page suivante :
Tsukuba, Japon, 2019.

L'âme du chemin porte un manteau de plumes.

Les mers rêvent encore, page 179

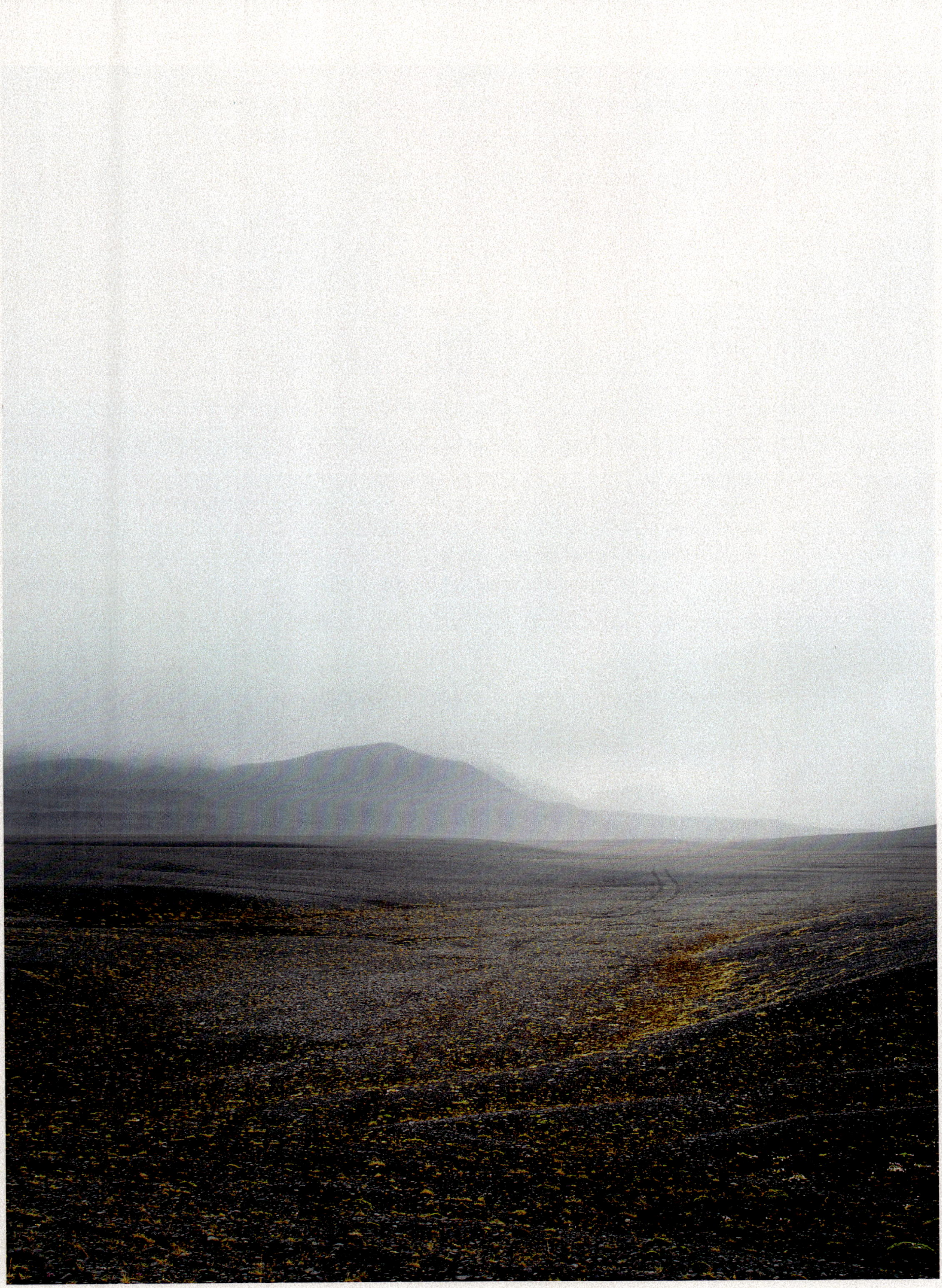

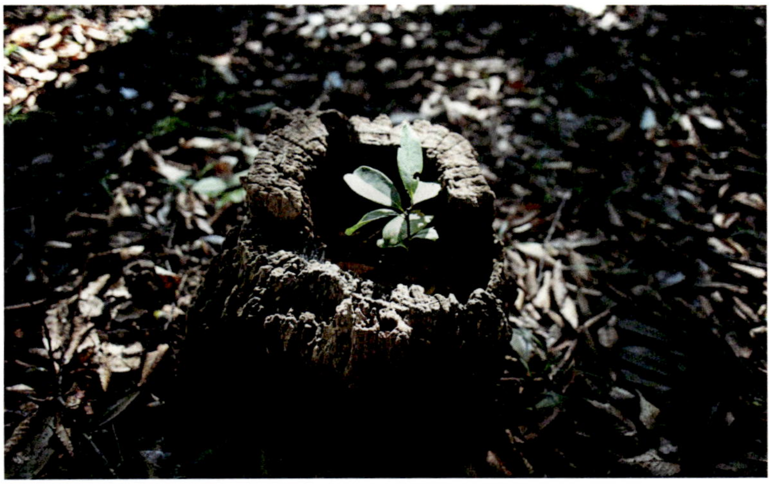

Remerciements :

À celles et à ceux qui ont soufflé dans les voiles de ce navire.

Tout particulièrement,

Campredon Centre d'art :
Valérie Capron-Canillas, Muriel Catala, Christian Rizzo.

Fondation Villa Datris :
Danièle Kapel-Marcovici, Stéphane Baumet, Maria Di Prima.

La société Canon pour son aide sur l'œuvre *Les poussières d'ivoire*.

Ceux qui m'ont soutenu ou éclairé dans cette création :
Luc Beneluz, Magali Belaiche, Chantal Colleu-Dumond, Gilles Colleu,
Gilles Fabien, Virginie Fiorello, Alban Gaillard, Maurice Giraud,
Lilian Guiran, Timothée Guiran, Tiphaine Guiran, Christophe Gusman,
Odile Hego, Mehdi Hennad, Elisabeth Higelin, Pierre Higelin,
Françoise Jaunin, Tchéky Karyo, Alice Pauli et Heidi Joye, Jean-Marc Plessy,
Pierrick Sancé, Guilhem Saudrais, Bruno Vincent et toute l'équipe des
passeurs de pianos, Yannig Willmann, Lorraine Willems.

À toutes les Voix Liées qui, d'ici ou d'ailleurs, nous guident chaque jour.

Au Vent qui nous dessine.

Photographies :
Stéphane Guiran, Stéphane Mahot (page 13).

Textes :
Chantal Colleu-Dumond, Françoise Jaunin, Stéphane Guiran.

Maquette :
Stéphane Guiran pour Les Heures Brèves.

Imprimé sur les presses de l'atelier de Gilles Colleu, à la Roque d'Anthéron,
sur papiers Munken Polar Rough et Sirio Pearl, fabriqués sans chlore
et issus de forêts écologiquement gérées.

Dépôt légal 3ème trimestre 2020.

© Stéphane Guiran, Les Heures Brèves.
Toutes reproductions et adaptations réservées.